Discurso sobre o método

Dados Internacionais de Catalogação na Publicação (CIP)
(Câmara Brasileira do Livro, SP, Brasil)

Descartes, René, 1596-1650
Discurso sobre o método / René Descartes ; tradução de Fábio Creder. – Petrópolis, RJ : Vozes, 2018 – (Vozes de Bolso)

Título original : Discours de la méthode

4ª reimpressão, 2023.

ISBN 978-85-326-5719-0

1. Ciência – Metodologia 2. Descartes, René, 1596-1650 3. Filosofia francesa – Século 17 I. Título. II. Série.

18-12810 CDD-194

Índices para catálogo sistemático:

1. Descartes : Obras filosóficas 194

René Descartes

Discurso sobre o método

Tradução de Fábio Creder

Vozes de Bolso

Tradução do original em francês intitulado
Discours de la méthode

Rua Frei Luís, 100
25689-900 Petrópolis, RJ
www.vozes.com.br
Brasil

Editoração: Maria da Conceição B. de Sousa
Diagramação: Sheilandre Desenv. Gráfico
Revisão gráfica: Nilton Braz da Rocha / Nivaldo S. Menezes
Capa: visiva.com.br
Arte-finalização: Ygor Moretti
Ilustração de capa: ©ronstik | Shutterstock

ISBN 978-85-326-5719-0

Este livro foi composto e impresso pela Editora Vozes Ltda.

Sumário

Discurso do método para bem-conduzir sua razão e buscar a verdade nas ciências

Se este discurso parecer demasiadamente longo para ser lido de uma vez, podemos dividi-lo em seis partes. Na primeira, encontraremos diversas considerações tocantes às ciências. Na segunda, as principais regras do método que o autor investigou. Na terceira, algumas das regras morais que ele inferiu desse método. Na quarta, as razões pelas quais ele prova a existência de Deus e da alma humana, que são os fundamentos da sua metafísica. Na quinta, a ordem das questões físicas que ele investigou, e particularmente a explicação do movimento do coração e de algumas outras dificuldades que pertencem à medicina; e em seguida também a diferença que existe entre a nossa alma e a dos animais. E na última, algumas coisas que ele acredita serem necessárias para se avançar mais do que já se avançou na investigação da natureza, e quais razões o fizeram escrever.

Primeira parte

O bom-senso é a coisa mais bem compartilhada do mundo; pois cada pessoa pensa estar tão bem provida dele, que mesmo as mais difíceis de satisfazer em qualquer outra coisa não têm o costume de desejá-lo mais do que o possuem. E não é provável que todas se enganem a esse respeito: isso antes testifica que o poder de bem-julgar e distinguir o verdadeiro do falso, qual seja propriamente o que denominamos bom-senso ou razão, é naturalmente igual em todos os homens; e, portanto, que a diversidade de nossas opiniões não resulta do fato de alguns serem mais razoáveis do que outros, mas somente do fato de conduzirmos nossos pensamentos por vias diversas, e não considerarmos as mesmas coisas. Porque não é suficiente ter a mente boa, o principal é aplicá-la bem. As maiores almas são capazes dos maiores vícios, tanto quanto das maiores virtudes; e aqueles que somente andam muito lentamente podem avançar muito mais, se seguirem sempre o caminho correto, do que aqueles que correm e dele se afastam.

Quanto a mim, jamais presumi que a minha mente fosse em nada mais perfeita do que a média; até mesmo frequentemente desejei ter o pensamento tão rápido, ou a imaginação tão clara e distinta, ou a memória tão ampla ou tão presente quanto algumas pessoas. E não conheço outras qualidades além dessas que sirvam à perfeição da mente; pois que a razão, ou o senso, porquanto seja a única coisa que nos torna homens e nos distingue das bestas, quero crer que ela exista inteira em cada um; e seguir nisso a opinião comum dos filósofos, que dizem só haver mais e menos entre os *acidentes*, e não entre as *formas* ou naturezas dos *indivíduos* de uma mesma *espécie*.

Mas não temerei dizer que penso ter tido muita sorte de me ter encontrado, desde a juventude, em certos caminhos que me conduziram a considerações e máximas das quais formei um método pelo qual me parece que eu tenha meios de aumentar gradualmente meu conhecimento, e de elevá-lo, pouco a pouco, ao ponto mais alto ao qual a mediocridade da minha mente e a curta duração da minha vida lhe permitam atingir. Pois dele já colhi tais frutos, que, conquanto no julgamento que faço de mim mesmo eu tente sempre pender para o lado da desconfiança ao invés de para o da presunção, e que, olhando com olho de filósofo as diversas ações e empreendimentos de todos os homens, quase não haja nenhum que não me pareça vão e inútil, não deixo de receber uma extrema satisfação do progresso que penso já ter feito na busca da verdade, e de conceber tais esperanças para o futuro, que, se entre as ocupações dos homens, puramente homens, houver alguma que seja solidamente boa e importante, ouso acreditar que seja aquela que escolhi.

No entanto, pode ser que eu esteja enganado, e talvez seja apenas um pouco de cobre e vidro o que tomo por ouro e diamantes. Sei o quanto somos suscetíveis de entender mal o que nos concerne, e o quanto também os julgamentos de nossos amigos nos devem ser suspeitos, quando são em nosso favor. Mas ficaria contente por demonstrar neste discurso quais são os caminhos que segui, e nele representar a minha vida como em um quadro, a fim de que cada um a possa julgar, e de que, aprendendo dos rumores as opiniões que se tem a respeito dela, este seja um novo meio de me instruir, que ajuntarei àqueles dos quais tenho o costume de me servir.

Assim, meu desígnio não é ensinar aqui o método que cada um deve seguir para bem-conduzir sua razão, mas somente demonstrar de que maneira eu tentei conduzir a minha. Aqueles que se intrometem em dar preceitos devem se estimar mais habilidosos do que aqueles aos quais os dão; e se falham na menor coisa, são disso culpáveis. Mas, propondo este escrito apenas como uma história, ou, se preferir, como uma fábula, na qual, dentre alguns exemplos que podemos imitar, encontraremos talvez também vários outros que teremos razão de não seguir, espero que seja útil para alguns, sem ser prejudicial a ninguém, e que todos me sejam gratos pela minha franqueza.

Fui nutrido com letras desde a infância; e, porquanto me persuadiram de que por meio delas podíamos adquirir um conhecimento claro e seguro de tudo o que é útil para a vida, tinha um extremo desejo de aprendê-las. Mas assim que completei todo esse curso de estudos, ao fim do qual se costuma ser recebido na classe dos doutos, mudei inteiramente de opinião. Pois me encontrava embaraçado em tantas dúvidas e erros, que me parecia não ter feito outro proveito, ao tentar me instruir, senão ter descoberto cada vez mais minha ignorância. E, no entanto, eu estava em uma das mais célebres escolas da Europa, onde pensava que devia haver homens eruditos, se os houvesse em algum lugar da terra. Aí aprendera tudo o que os outros aprendiam; e mesmo, não me tendo contentado com as ciências que nos ensinavam, percorrera todos os livros que tratam daquelas que são consideradas as mais curiosas e as mais raras, que puderam cair entre minhas mãos. Com isso eu sabia os julgamentos que os outros faziam de mim; e não via que me estimassem inferior aos meus condiscípulos, se bem que houvesse já entre eles alguns destinados a preencher os lugares de nossos mestres. E, enfim, nosso século parecia-me tão florescente e tão fértil de boas mentes como o fora nenhum dos precedentes. O que me fez tomar a liberdade de julgar por mim todos os outros, e de pensar que não havia nenhuma doutrina no mundo que fosse tal como anteriormente me fizeram esperar.

Não deixava, no entanto, de estimar os exercícios dos quais se ocupam nas escolas. Eu sabia que as línguas que aí se aprendem são necessárias para a inteligência dos livros antigos; que a gentileza das fábulas desperta a mente; que as ações memoráveis das histórias a levantam, e que, sendo lidas com discrição, ajudam a formar o juízo; que a leitura de todos os bons livros é como uma conversação com as pessoas mais honestas dos séculos passados, que foram seus autores, e mesmo uma conversação estudada na qual nos descobrem apenas os melhores de seus pensamentos; que a eloquência tem forças e belezas incomparáveis; que a poesia tem delicadezas e doçuras muito encantadoras; que as matemáticas têm invenções muito sutis, e que podem muito servir tanto para contentar os curiosos quanto para facilitar todas as artes e diminuir o trabalho dos homens; que os escritos que tratam dos modos contêm vários ensinamentos e várias exortações à virtude que são muito úteis; que a teologia ensina a ganhar o céu; que a filosofia dá meio de falar verossimilmente de todas as coisas, e de se fazer admirar pelos menos eruditos; que a jurisprudência, a medicina e as outras ciências trazem honras e riquezas àqueles que as cultivam; e, enfim, que é bom tê-las todas examinadas, mesmo as mais supersticiosas e as mais falsas, a fim de conhecer o seu justo valor e evitar ser por elas enganado.

Mas eu acreditava ter já dado bastante tempo às línguas, e mesmo também à leitura dos livros antigos, e às suas histórias, e às suas fábulas. Pois que é quase o mesmo conversar com aqueles dos outros séculos e viajar. É bom saber alguma coisa dos modos de diversos povos, a fim de julgarmos os nossos mais razoavelmente, e de não pensarmos que tudo quanto seja contrário aos nossos modos seja ridículo e contrário à razão, assim como têm o costume de fazer aqueles que nada viram. Mas quando se emprega tempo demais em viajar, torna-se enfim estrangeiro em seu próprio país; e quando se é curioso demais das coisas que se praticavam nos séculos passados, fica-se normalmente muito ignorante daquelas que se praticam neste. Além de que as fábulas fazem imaginar como possíveis vários eventos que não o são; e mesmo as histórias mais fiéis, se não mudam nem aumentam o valor das coisas para torná-las mais dignas de serem lidas, ao menos omitem, quase sempre, as mais baixas e menos ilustres circunstâncias, donde vem que o resto não parece tal como é, e que aqueles que regulam seus modos pelos exemplos que deles tiram estão sujeitos a caírem nas extravagâncias dos paladinos de nossos romances, e a conceberem desígnios que ultrapassam suas forças.

Eu estimava muito a eloquência, e estava apaixonado pela poesia; mas pensava que uma e outra eram dons da mente em vez de frutos do estudo. Aqueles que têm o raciocínio mais forte, e que digerem melhor seus pensamentos a fim de torná-los claros e inteligíveis, podem sempre melhor persuadir daquilo que propõem, ainda que falassem apenas baixo-bretão, e que jamais tivessem aprendido retórica; e aqueles que têm as invenções mais agradáveis e que as sabem exprimir com o máximo de ornamento e doçura não deixariam de ser os melhores poetas, ainda que a arte poética lhes fosse desconhecida.

Eu me comprazia sobretudo com as matemáticas, por causa da certeza e da evidência de suas razões, mas não notava ainda seu verdadeiro uso; e, pensando que serviam apenas para as artes mecânicas, espantava-me de que seus fundamentos, sendo tão firmes e tão sólidos, nada se tivesse construído sobre eles de mais elevado. Como, ao contrário, eu comparava os escritos dos antigos pagãos que tratam dos modos a palácios muito soberbos e muito magníficos, que eram construídos apenas sobre areia e sobre lama: elevam muito alto as virtudes, e as fazem parecer estimáveis acima de todas as coisas que estão no mundo; mas não ensinam o suficiente a conhecê-las, e amiúde o que chamam com um nome tão bonito é apenas uma insensibilidade, ou um orgulho, ou um desespero, ou um parricídio.

Eu reverenciava nossa teologia, e pretendia, tanto quanto nenhum outro, ganhar o céu: mas tendo aprendido, como coisa muito assegurada, que o caminho não está menos aberto aos mais ignorantes do que aos mais doutos, e que as verdades reveladas que para lá conduzem estão acima de nossa inteligência, eu não teria ousado submetê-las à fraqueza de meus raciocínios; e pensava que, para empreender examiná-los e conseguir, era necessário ter alguma extraordinária assistência do céu, e ser mais do que homem.

Nada direi da filosofia, senão que, vendo que foi cultivada pelas mais excelentes mentes que viveram desde vários séculos, e que, todavia, nela não se encontra ainda alguma coisa acerca da qual não se dispute, e, por conseguinte, que não seja duvidosa, eu não tinha bastante presunção para esperar nela encontrar melhor do que os outros; e que, considerando quantas opiniões diversas tocantes a uma mesma matéria, que sejam sustentadas por pessoas doutas, sem que jamais possa haver mais do que uma só que seja verdadeira, reputava quase como falso tudo o que era apenas verossímil.

Então, quanto às outras ciências, porquanto tomam emprestados seus princípios da filosofia, eu julgava que nada se pudesse construir que fosse sólido sobre fundamentos tão pouco firmes; e nem a honra nem o ganho que prometem foram suficientes para me incitar a aprendê-las; porque eu não me sentia, graças a Deus, em uma condição que me obrigasse a fazer da ciência um negócio para o alívio de minha fortuna; e, conquanto não fizesse profissão de desprezar a glória como um cínico, eu fazia, no entanto, muito pouco caso daquela que eu só esperava poder adquirir mediante falsos títulos. E enfim, quanto às más doutrinas, pensava que já conhecesse o suficiente o quanto valiam para já não estar sujeito a ser enganado nem pelas promessas de um alquimista, nem pelas predições de um astrólogo, nem pelas imposturas de um mago, nem pelos artifícios ou pela vaidade de algum daqueles que fazem profissão de saber mais do que sabem.

Eis por que, tão logo a idade me permitiu sair da sujeição de meus preceptores, deixei inteiramente o estudo das letras; e resolvendo-me a não mais buscar outra ciência que não aquela que se pudesse achar em mim mesmo, ou então no grande livro do mundo, empreguei o resto da minha juventude em viajar, em ver cortes e exércitos, em frequentar gente de diversos humores e condições, em recolher diversas experiências, em provar-me a mim mesmo nos encontros que a fortuna me propunha, e, por toda parte, em fazer tal reflexão sobre as coisas que se apresentavam, que eu delas pudesse tirar algum proveito. Pois parecia-me que eu pudesse encontrar muito mais verdade nos raciocínios que cada um faz no tocante aos assuntos que lhe importam, e cujo acontecimento o deve punir logo após, se tiver julgado mal, do que naqueles que faz um homem de letras em seu gabinete, tocante a especulações que não produzem nenhum efeito, e que não lhe têm outra consequência senão que talvez ele delas tirará tanto mais vaidade quanto estejam mais afastadas do senso comum, porque ele deve ter empregado tanto mais espírito e artifício em tentar torná-las verossímeis. E eu sempre tive um extremo desejo de aprender a distinguir o verdadeiro do falso, para ver claro em minhas ações, e andar com segurança nessa vida.

É verdade que, enquanto só fazia considerar os modos dos outros homens, pouco encontrava de que me assegurar, e que notei quase tanta diversidade quanto notara anteriormente entre as opiniões dos filósofos. De sorte que o maior proveito que tirei disso foi que, vendo várias coisas que, apesar de nos parecerem muito extravagantes e ridículas, não deixam de ser comumente recebidas e aprovadas por outros grandes povos, aprendi a em nada acreditar firmemente demais daquilo que me houvesse sido persuadido apenas pelo exemplo e pelo costume; e assim me livrei pouco a pouco de muitos erros que podem ofuscar nossa luz natural e nos tornar menos capazes de ouvir a razão. Mas, depois que empreguei alguns anos em estudar assim no livro do mundo, e em tentar adquirir alguma experiência, tomei um dia a resolução de estudar também em mim mesmo, e de empregar todas as forças da minha mente em escolher os caminhos que eu devia seguir; o que, para mim, funcionou muito melhor, me parece, do que se eu não tivesse jamais me afastado de meu país nem de meus livros.

Segunda parte

Eu estava então na Alemanha, onde a ocorrência de guerras, que ainda não terminaram, me havia chamado; e quando retornava da coroação do imperador para o exército, o começo do inverno me deteve em um quartel onde, não encontrando nenhuma conversação que me divertisse, e não tendo, além disso, por felicidade, nem cuidados nem paixões que me perturbassem, permanecia o dia todo recolhido sozinho em um aposento bem aquecido, onde tinha todo o lazer para me entreter com os meus pensamentos. Entre os quais um dos primeiros foi que me ocorreu considerar que frequentemente não há tanta perfeição nas obras compostas de várias peças, e feitas pelas mãos de diversos mestres, quanto naquelas as quais apenas um trabalhou. Assim, vemos que os edifícios que um único arquiteto empreendeu e completou costumam ser mais bonitos e mais bem-ordenados do que aqueles que muitos tentaram reformar usando muralhas antigas que foram construídas para outros fins. Assim, essas cidades antigas, que, tendo sido no começo apenas aldeias, se tornaram, pela sucessão do tempo, grandes cidades, são ordinariamente tão malcompassadas, comparadas a essas praças regulares que um engenheiro traça para a sua fantasia em uma planície, que, ainda que considerando seus edifícios cada qual à parte, se encontre neles frequentemente tanta ou mais arte do que naqueles das outras, todavia, ao ver como estão dispostos, aqui um grande, ali um pequeno, e como tornam as ruas curvadas e desiguais, dir-se-ia que é antes a fortuna que a vontade de alguns homens de razão, que assim os dispôs. E se considerar-se que, não obstante, sempre tenha havido alguns funcionários que tenham sido encarregados de cuidar das construções dos particulares, para fazê-las servirem ao ornamento do público, saberemos bem que é difícil, trabalhando apenas nas obras de outrem, fazer coisas bem-acabadas. Assim, imaginei que os povos que, tendo sido outrora meio selvagens, e só se tornado civilizados pouco a pouco, fizeram suas leis somente à medida que a incomodidade dos crimes e das querelas os constrangeu a tanto, não poderiam ser tão bem-policiados como aqueles que, desde quando começaram a se reunir, observaram as constituições de algum prudente legislador. Como é bem certo que o estado da verdadeira religião, cujas ordenanças só Deus fez, deve ser incomparavelmente mais bem-regulamentado do que todos os outros. E, para falar das coisas humanas, acredito que, se Esparta foi outrora muito florescente, não foi por causa da bondade de cada uma de suas leis em particular, visto que muitas eram muito estranhas, e mesmo contrárias aos bons modos; mas porque, tendo sido inventadas por um só, tendiam todas ao mesmo fim. E assim pensei que as ciências dos livros, ao menos aqueles cujas razões são apenas prováveis, e que não têm nenhuma demonstração, sendo compostas e ampliadas pouco a pouco com as opiniões de certo número de diversas pessoas, não estão tão próximas da verdade quanto os simples raciocínios que pode fazer naturalmente um homem de bom-senso no tocante às coisas que se apresentam. E assim ainda pensei que, porquanto todos fomos crianças antes de sermos homens, e porque nos foi necessário, por muito tempo, sermos governados por nossos apetites e nossos preceptores, os quais eram muitas vezes contrários uns aos outros, e os quais, nem uns nem outros, nem sempre talvez nos aconselhassem da melhor maneira, é quase impossível que nossos julgamentos sejam tão puros ou tão sólidos quanto teriam sido se tivéssemos tido o uso inteiro de nossa razão desde o ponto de nosso nascimento, e se jamais tivéssemos sido conduzidos senão por ela.

É verdade que não vemos deitarem por terra todas as casas de uma cidade com o único propósito de refazê-las de outra maneira e de assim tornar as ruas mais bonitas; mas vê-se bem que muitos derrubam as suas para reconstruí-las, e que, às vezes, são mesmo obrigados a fazê-lo, quando estão em perigo de caírem por si sós, por suas fundações não estarem muito firmes. A exemplo do que eu me persuadi de que não haveria verdadeiramente nenhuma probabilidade de um particular pretender reformar um Estado, modificando-o todo, desde os fundamentos, e derrubando-o para corrigi-lo; nem mesmo tampouco reformar o corpo das ciências, ou a ordem estabelecida nas escolas para ensiná-las; mas que, por todas as opiniões que eu havia recebido até então em minha crença, eu não podia fazer melhor do que empreender, de uma vez por todas, suprimi-las, a fim de substituí-las mais tarde, ou por outras melhores, ou mesmo pelas mesmas quando eu as tivesse ajustado ao grau da razão. E acreditei firmemente que, por esse meio, eu conseguiria conduzir minha vida muito melhor do que se a construísse apenas sobre velhos fundamentos, e me apoiasse apenas sobre os princípios dos quais me tivesse deixado persuadir em minha juventude, sem ter jamais examinado se eram verdadeiros. Porque, embora notasse nisso diversas dificuldades, elas não eram, entretanto, irremediáveis, nem comparáveis àquelas que se encontram na reforma das mínimas coisas que tocam ao público. Esses grandes corpos são demasiado difíceis de levantar quando estão abatidos, ou mesmo de conter quando estão abalados, e suas quedas só podem ser muito rudes. Depois, quanto às suas imperfeições, se as tiverem, como a mera diversidade que existe entre eles é suficiente para assegurar que as tenham várias, o uso, sem dúvida, as suavizou, e mesmo evitou ou corrigiu insensivelmente uma grande quantidade, às quais não se poderia tão bem-prover por prudência; e, enfim, elas são quase sempre mais suportáveis do que o seria a sua mudança; da mesma forma que os grandes caminhos, que contornam as montanhas, tornam-se pouco a pouco tão uniformes e tão cômodos, à força de serem frequentados, que é muito melhor segui-los do que empreender ir mais direto, escalando por cima dos rochedos e descendo até o fundo dos precipícios.

Eis por que não poderia, de modo algum, aprovar esses humores confusos e inquietos, os quais, não sendo chamados nem pelo seu nascimento nem pela sua fortuna ao manejo dos negócios públicos, não deixam de neles fazer sempre em ideia alguma nova reforma; e se eu pensasse que houvesse a menor coisa neste escrito pela qual me pudessem suspeitar dessa loucura, eu ficaria muito aborrecido de sofrer que fosse publicado. Jamais o meu desígnio se estendeu além de tentar reformar os meus próprios pensamentos, e construir em um terreno que fosse todo meu. Que se a minha obra me tendo agradado o bastante, eu vos faço ver aqui o seu modelo, não é por isso que eu quero aconselhar alguém a imitá-lo. Aqueles com os quais Deus melhor partilhou suas graças terão talvez desígnios mais elevados; mas temo muito que este já seja demasiado audacioso para vários. A mera resolução de se desfazer de todas as opiniões que se recebeu anteriormente em sua crença não é um exemplo que cada um deva seguir. E o mundo é composto quase que apenas de dois tipos de mentes às quais ele não convém de maneira alguma; a saber, daquelas que, se acreditando mais hábeis do que são, não podem impedir-se de precipitar seus julgamentos, nem ter suficiente paciência para conduzir por ordem todos os seus pensamentos, de onde vem que, se tivessem alguma vez tomado a liberdade de duvidarem dos princípios que receberam, e de se afastarem do caminho comum, jamais poderiam manter-se na senda que é preciso tomar para prosseguir mais direto, e permaneceriam perdidas por toda a vida; depois, daquelas que, tendo bastante razão ou modéstia para julgar que são menos capazes de distinguir o verdadeiro do falso do que algumas outras pelas quais podem ser instruídas, devem antes contentar-se em seguir as opiniões dessas outras, do que buscarem, elas mesmas, outras melhores.

E, quanto a mim, estaria, sem dúvida, no número desses últimos, se nunca tivesse tido senão um único mestre, ou se não tivesse sabido das diferenças que têm havido em todos os tempos entre as opiniões dos mais doutos. Mas tendo aprendido, desde o colégio, que nada se poderia imaginar de tão estranho e tão pouco acreditável que não houvesse sido dito por algum dos filósofos; e, depois, viajando, tendo reconhecido que todos aqueles que têm sentimentos muito contrários aos nossos não são por isso bárbaros nem selvagens, mas que muitos usam tanto ou mais do que nós a razão; e tendo considerado o quanto um mesmo homem, com o seu mesmo espírito, sendo criado desde a sua infância entre franceses ou alemães, torna-se diferente daquilo que seria se tivesse sempre vivido entre chineses ou canibais; e como, até nas modas de nossas vestimentas, a mesma coisa que nos agradou há dez anos, e que nos agradará talvez ainda por mais dez anos,
nos parece agora extravagante e ridícula; de

sorte que é bem mais o costume e o exemplo que nos persuadem do que algum conhecimento certo; e que, não obstante, a pluralidade das vozes não é uma prova que valha algo para as verdades um pouco difíceis de descobrir, porque é bem mais verossímil que um homem só as tenha encontrado do que todo um povo; eu não podia escolher ninguém cujas opiniões me parecessem dever ser preferidas àquelas dos outros, e me achava como que constrangido a empenhar-me, eu mesmo, em conduzir-me.

Mas, como um homem que anda sozinho, e nas trevas, resolvi prosseguir tão lentamente e usar de tanta circunspecção em todas as coisas, que se eu não avançasse senão muito pouco, eu, pelo menos, evitaria cair. Nem mesmo quis começar a rejeitar inteiramente alguma das opiniões que outrora puderam imiscuir-se na minha crença, sem aí terem sido introduzidas pela razão, antes que eu tivesse empregado bastante tempo em fazer o projeto da obra que eu empreendia, e em procurar o verdadeiro método para alcançar o conhecimento de todas as coisas das quais minha mente fosse capaz.

Eu havia estudado um pouco, sendo mais jovem, entre as partes da filosofia, a lógica, e, entre as matemáticas, a análise dos geômetras e a álgebra, três artes ou ciências que pareciam dever contribuir com algo para o meu desígnio. Mas, examinando-as, constatei que, quanto à lógica, seus silogismos e a maior parte de suas outras instruções servem antes para explicar a outrem as coisas que sabemos, ou mesmo, como a arte de Lúlio, para falar sem julgamento daquelas que ignoramos, do que para aprendê-las; e ainda que ela contenha de fato muitos preceitos muito verdadeiros e muito bons, há, contudo, tantos outros, misturados dentre eles, que são prejudiciais ou supérfluos, que é quase tão difícil separá-los quanto tirar uma Diana ou uma Minerva de um bloco de mármore que não esteja ainda esboçado. Depois, quanto à análise dos antigos e a álgebra dos modernos, além de se estenderem apenas a matérias muito abstratas, e que não parecem de alguma utilidade, a primeira está sempre tão adstrita à consideração das figuras, que não pode exercer o entendimento sem fatigar muito a imaginação; e se esteve de tal maneira sujeitado nesta última a certas regras e a certas cifras, que se fez dela uma arte confusa e obscura que embaraça a mente, em lugar de uma ciência que a cultiva. O que foi a causa pela qual pensei ser necessário procurar algum outro método, que, compreendendo as vantagens desses três, fosse isento de seus defeitos. E como a multidão das leis fornece amiúde escusas aos vícios, de sorte que um Estado é bem melhor regrado quando, tendo apenas muito poucas, elas nele são muito estritamente observadas; assim, em lugar desse grande número de preceitos dos quais a lógica é composta, acreditei que me bastariam os quatro seguintes, desde que tomasse uma firme e constante resolução de não deixar, sequer uma vez, de observá-los.

O primeiro era nunca aceitar nenhuma coisa como verdadeira que eu não conhecesse evidentemente como tal; isto é, evitar cuidadosamente a precipitação e a prevenção, e nada compreender em meus julgamentos além do que se apresentasse tão claramente e tão distintamente à minha mente, que eu não tivesse nenhuma ocasião de colocá-lo em dúvida.

O segundo, dividir cada uma das dificuldades que eu examinasse em tantas parcelas quantas se pudesse, e quantas fossem necessárias para melhor resolvê-las.

O terceiro, conduzir por ordem meus pensamentos, começando pelos objetos mais simples e mais fáceis de conhecer, para ascender, pouco a pouco, como que por degraus, até o conhecimento dos mais compostos, e supondo mesmo uma ordem entre aqueles que não se precedem naturalmente uns aos outros.

E o último, fazer por toda parte enumerações tão inteiras e revisões tão gerais, que eu estivesse assegurado de nada omitir.

Essas longas cadeias de razões, todas simples e fáceis, das quais os geômetras têm o costume de se servirem para alcançarem suas mais difíceis demonstrações, me haviam dado ocasião de imaginar que todas as coisas que podem cair sob o conhecimento dos homens seguem-se umas às outras da mesma maneira, e que, desde que somente nos abstenhamos de admitir por verdadeira alguma que não o seja, e que guardemos sempre a ordem necessária para as deduzir umas das outras, não pode haver quaisquer tão afastadas às quais, enfim, não se chegue, nem tão escondidas que não se descubram. E não me foi muito penoso procurar por quais era necessário começar, porque eu já sabia que era pelas mais simples e as mais fáceis de conhecer; e, considerando que, entre todos aqueles que até agora buscaram a verdade nas ciências, somente os matemáticos puderam encontrar algumas demonstrações, isto é, algumas razões certas e evidentes, não duvidei que não fosse pelas mesmas que eles examinaram; ainda que eu disso não esperasse nenhuma outra utilidade, senão que acostumassem minha mente a se alimentar de verdades, e a não se contentar com falsas razões. Mas não tive o intuito para isso de tentar aprender todas essas ciências particulares que se denominam comumente matemáticas; e vendo que ainda que seus objetos sejam diferentes, não deixam de concordar todas, na medida em que consideram apenas as diversas relações ou proporções que neles se encontram, pensei que valesse mais que eu examinasse somente essas proporções em geral, e as supondo apenas nos assuntos que servissem para me tornar o seu conhecimento mais fácil; mas também sem as restringir de maneira alguma a tais assuntos, a fim de poder tanto melhor aplicá-las depois a todos os outros aos quais conviessem. Depois, tendo constatado que, para conhecê-las eu teria por vezes necessidade de considerá-las cada uma em particular, e às vezes somente as reter, ou as compreender várias juntas, pensei que, para considerá-las melhor em particular, deveria supô-las em linhas, porquanto não encontrava nada mais simples, nem que eu pudesse representar mais distintamente à minha imaginação e aos meus sentidos; mas que, para as reter, ou as compreender várias juntas, era preciso que eu as explicasse por algumas cifras, as mais curtas que fossem possíveis; e que, por esse meio, tomaria emprestado todo o melhor da análise geométrica e da álgebra, e corrigiria todos os defeitos de uma pela outra.

Como, com efeito, ouso dizer que a exata observação desses poucos preceitos que eu escolhera me deu tal facilidade de desemaranhar todas as questões às quais essas duas ciências se estendem, nos dois ou três meses que empreguei em examiná-las, tendo começado pelas mais simples e mais gerais, e cada verdade que eu encontrava sendo uma regra que me servia depois para encontrar outras, não somente consegui resolver várias que eu outrora julgara muito difíceis, mas pareceu-me também, enfim, que eu pudesse determinar, mesmo naquelas que eu ignorava, por quais meios e até onde seria possível resolvê-las. No que não vos parecerei talvez muito vaidoso, se considerardes que, havendo apenas uma verdade de cada coisa, quem a encontrar sabe dela tanto quanto se possa saber; e que, por exemplo, uma criança instruída na aritmética, tendo feito uma adição seguindo suas regras, pode ter certeza de ter encontrado, no tocante à soma que examinava, tudo o que a mente humana poderia encontrar. Pois, enfim, o método que ensina a seguir a verdadeira ordem e a enumerar exatamente todas as circunstâncias disso que se procura contém tudo o que dá certeza às regras da aritmética.

Mas o que mais me contentava neste método era que, por ele, eu estava seguro de usar em tudo a minha razão, se não perfeitamente, ao menos o melhor que estivesse em meu poder; além disso, sentia, ao praticá-lo, que minha mente se acostumava pouco a pouco a conceber mais claramente e mais distintamente seus objetos, e que, não o tendo submetido a nenhuma matéria particular, prometi a mim mesmo aplicá-lo tão utilmente às dificuldades das outras ciências quanto o fizera àquelas da álgebra. Não que por isso eu ousasse empreender primeiramente o exame de todas aquelas que se apresentassem, pois isso mesmo era contrário à ordem que ele prescreve. Mas, tendo constatado que seus princípios deviam todos serem tomados emprestados da filosofia, na qual eu ainda não encontrava nenhum que fosse certo, pensei que era necessário, antes de tudo, que eu tentasse aí estabelecê-los; e que, sendo isso a coisa mais importante do mundo, e onde a precipitação e a prevenção deviam ser mais temidas, eu não devia empreender realizá-la a não ser que tivesse atingido uma idade bem mais madura do que aquela dos vinte e três anos que eu tinha então, e que eu não tivesse anteriormente empregado muito tempo em me preparar para isso, tanto desenraizando da minha mente todas as más opiniões que eu recebera antes desse tempo quanto fazendo acúmulo de várias experiências para servirem depois de matéria de meus raciocínios, e me exercitando sempre no método que prescrevera para mim mesmo, a fim de nele me firmar cada vez mais.

Terceira parte

E enfim, como não basta, antes de começar a reconstruir a habitação onde se habita, derrubá-la, e fazer provisão de materiais e arquitetos, e exercitar-se a si mesmo na arquitetura e, além disso, ter cuidadosamente traçado um projeto; mas é necessário também estar provido de alguma outra onde se possa estar alojado comodamente durante o tempo em que nela se trabalhará; assim, a fim de que eu não permanecesse irresoluto em minhas ações, enquanto a razão me obrigasse a sê-lo em meus julgamentos, e de que eu não deixasse de viver desde então o mais felizmente que eu pudesse, formei para mim uma moral provisória, que consistia apenas em três ou quatro máximas, as quais eu quero muito vos participar.

A primeira era obedecer às leis e aos costumes do meu país, retendo constantemente a religião na qual Deus concedeu-me a graça de ser instruído desde a infância, e governando-me, em tudo o mais, segundo as opiniões mais moderadas, e as mais afastadas do excesso, que fossem comumente recebidas em prática pelos mais sensatos daqueles com os quais eu teria que viver. Pois, começando desde então a não contar por nada as minhas próprias, porque as queria submeter todas a exame, eu estava certo de não poder fazer melhor do que seguir aquelas dos mais sensatos. E ainda que talvez também houvesse sensatos dentre os persas ou os chineses, como dentre nós, parecia-me que o mais útil era pautar-me segundo aqueles com os quais eu tivesse que viver; e que, para saber quais eram verdadeiramente as suas opiniões, eu devia atentar mais ao que praticavam do que ao que diziam, não somente porque na corrupção de nossos modos há pouca gente que queira dizer tudo aquilo em que acredita, mas também porque muitos o ignoram eles mesmos; pois, embora a ação do pensamento pela qual acreditamos em uma coisa seja diferente daquela pela qual conhecemos que a acreditamos, elas existem amiúde uma sem a outra. E, entre várias opiniões igualmente recebidas, eu não escolheria senão as mais moderadas, tanto porque são sempre as mais cômodas para a prática, e provavelmente as melhores, todos os excessos tendo o costume de serem maus, como também a fim de me desviar menos do verdadeiro caminho, caso eu falhasse, do que se, tendo escolhido um dos extremos, tivesse sido o outro que eu precisasse seguir. E, particularmente, eu colocava entre os excessos todas as promessas pelas quais se cerceia algo da sua própria liberdade; não que eu desaprovasse as leis que, para remediarem a inconstância das mentes fracas, permitem, quando se tem algum bom desígnio, ou mesmo, para a segurança do comércio, algum desígnio que seja apenas indiferente, que se façam votos ou contratos que obriguem a perseverar nele; mas porque nada via no mundo que permanecesse sempre no mesmo estado, e porque, para o meu particular, prometi-me aperfeiçoar cada vez mais meus julgamentos, e não os tornar piores, eu teria pensado em cometer uma grande falta contra o bom-senso, se, porque aprovava então alguma coisa, eu fosse obrigado a tomá-la por boa ainda depois, quando tivesse talvez cessado de sê-lo, ou quando tivesse cessado de estimá-la como tal.

Minha segunda máxima era ser o mais firme e o mais resoluto em minhas ações que eu pudesse, e não seguir menos constantemente as opiniões mais duvidosas quando estivesse a tanto determinado do que se fossem muito asseguradas; imitando nisso os viajantes, que, encontrando-se perdidos em alguma floresta, não devem errar rodopiando ora para um lado ora para outro, nem, ainda menos, parar em um só lugar, mas andar sempre o mais reto que possam para um mesmo lado, e não mudá-lo por frágeis razões, ainda que, talvez apenas no começo, somente o acaso os tenha determinado a escolhê-lo; pois, por esse meio, se não vão justamente aonde desejam, ao menos chegarão, por fim, a alguma parte onde provavelmente estarão melhor do que no meio de uma floresta. E, assim, as ações da vida não sofrendo amiúde nenhuma delonga, é uma verdade muito certa que, quando não está em nosso poder discernir as mais verdadeiras opiniões, devemos seguir as mais prováveis; e mesmo, ainda que não notemos mais probabilidade em umas do que em outras, devemos, não obstante, nos determinar a algumas, e as considerar depois, não mais como duvidosas, na medida em que se relacionem à prática, mas como muito verdadeiras e muito certas, porquanto a razão, que nos fez determinarmo-nos dessa maneira, é tal. E isso foi capaz, desde então, de me livrar de todos os arrependimentos e os remorsos que têm o costume de agitar as consciências desses espíritos frágeis e vacilantes que se deixam ir inconstantemente a praticar como boas as coisas que julgam depois serem más.

Minha terceira máxima era tentar sempre antes me vencer do que à fortuna, e mudar meus desejos do que a ordem do mundo, e geralmente me acostumar a acreditar que nada existe que esteja inteiramente em nosso poder senão nossos pensamentos, de sorte que, após termos feito nosso melhor no tocante às coisas que nos sejam exteriores, tudo o que não consiga nos tornar bem-sucedidos é, aos nossos olhos, absolutamente impossível. E isso somente parecia-me ser suficiente para impedir-me de nada desejar no futuro que eu não adquirisse, e, assim, para tornar-me contente; porque a nossa vontade, inclinando-se naturalmente a desejar apenas as coisas que o nosso entendimento representa-lhe de alguma forma como possíveis, é certo que, se considerarmos todos os bens que estão fora de nós como igualmente afastados de nosso poder, não teremos mais lamento por faltarem aqueles que parecem ser devidos ao nosso nascimento, quando deles formos privados sem nossa culpa, do que temos de não possuirmos os reinos da China ou do México; e que fazendo, como se diz, da necessidade virtude, não desejaremos mais estarmos sãos, estando doentes, ou estarmos livres, estando em prisão, do que desejamos agora termos corpos de uma matéria tão pouco corruptível quanto os diamantes, ou asas para voar como os pássaros. Mas eu reconheço que é necessário um longo exercício, e uma meditação amiúde reiterada, para nos acostumarmos a olhar por esse viés todas as coisas; e eu acredito que seja principalmente nisso que consistia o segredo desses filósofos que puderam outrora subtrair-se ao império da fortuna, e, malgrado as dores e a pobreza, disputar a felicidade com os seus deuses. Pois, ocupando-se sem cessar em considerar os limites que lhes foram prescritos pela natureza, eles persuadiam-se tão perfeitamente de que nada estava em seu poder além dos seus pensamentos, que isso somente era suficiente para lhes impedir de terem alguma afeição por outras coisas; e dispunham deles tão absolutamente que tinham nisso alguma razão de se estimarem mais ricos e mais poderosos e mais livres e mais felizes do que qualquer um dos outros homens, que, não tendo essa filosofia, tão favorecidos pela natureza e pela fortuna quanto pudessem ser, não dispõem jamais assim de tudo o que queiram.

Enfim, como conclusão desta moral, ocorreu-me fazer uma revisão das diversas ocupações que têm os homens nesta vida, para tentar fazer a escolha da melhor; e, sem que eu queira nada dizer das dos outros, pensei que não poderia fazer melhor do que continuar naquela mesma na qual me encontrava, ou seja, do que empregar toda a minha vida em cultivar minha razão, e avançar, tanto quanto pudesse, no conhecimento da verdade, seguindo o método que eu me havia prescrito. Eu sentira tão extremos contentamentos desde quando começara a servir-me deste método, que não acreditava que se pudesse receber algo mais doce ou mais inocente nesta vida; e descobrindo todos os dias, por seu meio, algumas verdades que me pareciam assaz importantes e comumente ignoradas pelos outros homens, a satisfação que eu tinha com isso plenificava de tal maneira minha mente, que todo o resto não me tocava. Além do que, as três máximas precedentes estavam fundadas apenas no desígnio que eu tinha de continuar a me instruir porque Deus, nos tendo dado a cada um alguma luz para discernir o verdadeiro do falso, eu não acreditaria me dever contentar com as opiniões dos outros por um momento sequer, se eu não me tivesse proposto empregar o meu próprio juízo a examiná-las quando fosse tempo; e não saberia me isentar de escrúpulos, ao segui-las, se não esperasse não perder por isso nenhuma ocasião de encontrar melhores, caso as houvesse; e, enfim, não saberia limitar meus desejos nem estar contente, se não tivesse seguido um caminho pelo qual, pensando estar seguro da aquisição de todos os conhecimentos dos quais fosse capaz, eu pensava estar, pelo mesmo meio, daquela de todos os verdadeiros bens que alguma vez estariam em meu poder; tanto mais que, nossa vontade não se inclinando a seguir nem a fugir de coisa alguma senão segundo o nosso entendimento a represente para si como boa ou má, basta bem julgar para bem fazer, e julgar o melhor que se possa para fazer também todo o seu melhor, ou seja, para adquirir todas as virtudes, e conjuntamente todos os outros bens que se possam adquirir; e quando se está certo de que seja assim, não se pode deixar de estar contente.

Após me ter assim assegurado destas máximas, e tê-las posto à parte com as verdades da fé, que sempre foram as primeiras na minha crença, julguei que, quanto a todo o restante de minhas opiniões, eu pudesse livremente tentar desfazer-me delas. E porquanto esperava poder fazê-lo melhor conversando com os homens do que permanecendo por mais tempo encerrado no aposento aquecido onde eu tivera todos esses pensamentos, o inverno ainda não terminara quando voltei a viajar. E, em todos os nove anos seguintes, não fiz outra coisa senão rolar aqui e ali no mundo, tentando ser nele mais espectador do que ator em todas as comédias que aí se encenam; e, refletindo particularmente em cada matéria sobre o que a podia tornar suspeita e nos dar ocasião de nos confundirmos, desenraizava, entretanto, da minha mente todos os erros que nela se houvessem imiscuído anteriormente. Não que eu imitasse para isso os céticos, que só duvidam por duvidar, e afetam ser sempre irresolutos; pois, ao contrário, todo meu desígnio tendia apenas a me assegurar, e a rejeitar a terra movediça e a areia para encontrar a rocha ou a argila. O que consegui, parece-me, assaz bem, tanto que, tentando descobrir a falsidade ou a incerteza das proposições que eu examinava, não por frágeis conjecturas, mas por raciocínios claros e seguros, não encontrei nenhuma tão duvidosa que eu não tirasse dela sempre alguma conclusão bastante certa, quando mais não fosse a de que nada continha de certo. E, como, ao pôr abaixo uma velha habitação, reserva-se ordinariamente os escombros para servirem para construir uma nova, assim, ao destruir todas aquelas de minhas opiniões que eu julgava malfundadas, fazia diversas observações e adquiria várias experiências que me serviram depois para estabelecer outras mais certas. E ademais continuava a me exercitar no método que eu me havia prescrito; pois não só tomava o cuidado de conduzir geralmente todos os meus pensamentos segundo as regras, como me reservava, de tempos em tempos, algumas horas, as quais empregava particularmente em praticá-lo nas dificuldades de matemática, ou mesmo também em algumas outras que eu pudesse tornar quase semelhantes àquelas das matemáticas, destacando-as de todos os princípios das outras ciências que eu não achava assaz firmes, como vereis que fiz em várias que são explicadas neste volume. E assim, sem viver de outra forma em aparência senão como aqueles que, não tendo nenhum emprego senão passar uma vida doce e inocente, analisam-se a si mesmos para separarem os prazeres dos vícios, e que, para desfrutarem de seu lazer sem se entediarem, usam de todos os divertimentos que sejam honestos, não deixava de persistir em meu desígnio e de desfrutar do conhecimento da verdade, talvez mais do que se não tivesse feito outra coisa além de ler livros ou frequentar gente de letras.

Todavia, esses nove anos se escoaram antes que eu tivesse já tomado algum partido no tocante às dificuldades que têm o costume de serem disputadas entre os doutos, nem começado a procurar os fundamentos de alguma filosofia mais certa do que a vulgar. E o exemplo de várias mentes excelentes, que tendo tido outrora o desígnio, pareciam-me não o terem alcançado, fazia-me imaginar tanta dificuldade, que eu não teria talvez já tão logo ousado empreendê-lo, se não tivesse visto que alguns faziam já correr o boato de que eu o havia alcançado. Não saberia dizer sobre o que eles fundamentavam essa opinião; e se eu tiver contribuído para qualquer coisa por meus discursos, deve ter sido confessando mais ingenuamente o que eu ignorava, do que não tem o costume de fazer aqueles que estudaram um pouco, e talvez também fazendo ver as razões que eu tinha de duvidar de muitas coisas que os outros consideram certas, em vez de me gabar de alguma doutrina. Mas tendo o coração suficientemente bom para não querer que me tomassem por outro que eu não fosse, pensei que fosse necessário que eu tentasse, por todos os meios, me tornar digno da reputação que me deram; e há justamente oito anos esse desejo me fez resolver me afastar de todos os lugares onde eu pudesse ter conhecimentos, e me retirar aqui, em um país onde a longa duração da guerra fez estabelecerem tais ordens, que os exércitos que aí se mantêm não parecem servir senão para fazer com que aí se gozem dos frutos da paz com tanto mais segurança, e onde, dentre a multidão de um grande povo muito ativo, e mais zeloso de seus próprios afazeres do que curioso dos de outrem, sem falta de nenhuma das comodidades que existem nas cidades mais frequentadas, pude viver tão solitário e retirado quanto nos desertos mais remotos.

Quarta parte

Não sei se devo vos falar das primeiras meditações que aí fiz; pois elas são tão metafísicas e tão pouco comuns, que não serão talvez do gosto de todo mundo; e, todavia, a fim de que possamos julgar se os fundamentos que adotei são assaz firmes, eu me encontro de qualquer forma constrangido a falar delas. Há muito tempo percebi que para os modos é preciso às vezes seguir opiniões que sabemos serem muito incertas, como se fossem indubitáveis, assim como foi dito acima; mas porquanto então eu desejava me ocupar somente com a busca da verdade, pensava que fosse necessário que eu fizesse exatamente o contrário, e que rejeitasse como absolutamente falso tudo aquilo em que eu pudesse imaginar a menor dúvida, a fim de ver se não restaria depois disso qualquer coisa em minha crença que fosse inteiramente indubitável. Assim, porque os nossos sentidos nos enganam às vezes, quis supor que não houvesse coisa alguma que fosse tal como eles nos fazem imaginar; e porque há homens que se equivocam raciocinando, mesmo no tocante às mais simples matérias de geometria, e nelas fazem paralogismos, julgando que eu estava sujeito a falhar tanto quanto qualquer outro, rejeitei como falsas todas as razões que eu havia tomado anteriormente por demonstrações; e enfim, considerando que todos os mesmos pensamentos que nós temos estando despertos nos podem também advir quando dormimos, sem que haja neles nenhum, entretanto, que seja verdadeiro, resolvi fingir que todas as coisas que alguma vez me entraram na mente tampouco eram mais verdadeiras do que as ilusões de meus sonhos. Mas, imediatamente depois, constatei que, enquanto eu queria assim pensar que tudo fosse falso, era necessariamente preciso que eu, que o pensava, fosse alguma coisa; e, notando que esta verdade: *penso, logo existo*, era tão firme e tão segura que todas as mais extravagantes suposições dos céticos não foram capazes de a abalar, julguei que podia recebê-la sem escrúpulo como o primeiro princípio da filosofia que eu procurava.

Depois, examinando com atenção o que eu era, e vendo que eu podia fingir que não tinha nenhum corpo, e que não existia nenhum mundo nem nenhum lugar onde eu existisse; mas que não podia fingir por isso que eu não existia; e que, ao contrário disso mesmo, como eu pensava em duvidar da verdade das outras coisas, seguia-se muito evidentemente e muito certamente que eu existia; ao passo que, se eu tivesse somente cessado de pensar, ainda que todo o resto daquilo que eu alguma vez imaginara fosse verdadeiro, eu não tinha nenhuma razão de acreditar que tivesse existido; entendi, portanto, que eu era uma substância cuja única essência ou natureza consiste exclusivamente em pensar, e que, para existir, não precisa de nenhum lugar nem depende de nenhuma coisa material; de sorte que esse eu, isto é, a alma, pela qual eu sou o que sou, é inteiramente distinta do corpo, e, mesmo, que ela é mais fácil de conhecer do que ele, e que, ainda que ele não existisse, ela continuaria a ser tudo o que ela é.

Depois disso, considerei em geral o que é necessário a uma proposição para ser verdadeira e certa; porque, como acabava de encontrar uma que eu sabia ser tal, pensei que devia também saber em que consiste essa certeza. E tendo notado que não existe absolutamente nada nesse *penso, logo existo* que me assegure de que digo a verdade, senão que vejo muito claramente que para pensar é necessário existir, julguei que podia tomar por regra geral que as coisas que concebemos muito claramente e muito distintamente são todas verdadeiras, mas que há somente alguma dificuldade em notar bem quais são aquelas que concebemos distintamente.

Depois do que, refletindo sobre o que eu duvidava, e que, por conseguinte, meu ser não era totalmente perfeito, porque eu via claramente que era uma maior perfeição conhecer, do que duvidar, ocorreu-me procurar de onde aprendera a pensar em alguma coisa mais perfeita do que eu era; e conheci evidentemente que devia ser de qualquer natureza que fosse de fato mais perfeita. No que concerne aos pensamentos que tinha de muitas outras coisas fora de mim, como do céu, da terra, da luz, do calor e de mil outras, não me era tão difícil saber de onde vinham, porque, nada notando neles que me parecesse torná-los superiores a mim, eu podia acreditar que, se fossem verdadeiros, seriam dependências de minha natureza, tanto quanto ela tivesse alguma perfeição, e, se não o fossem, que eu os tinha do nada, isto é, que estavam em mim pelo que eu tinha de defeituoso. Mas não podia acontecer o mesmo com a ideia de um ser mais perfeito do que o meu; pois, tirá-la do nada, era algo manifestamente impossível; e porquanto não há menos repugnância em que o mais perfeito seja uma consequência e uma dependência do menos perfeito, do que que do nada proceda alguma coisa, eu não conseguiria tirá-la tampouco de mim mesmo; de forma que restava apenas que tivesse sido posta em mim por uma natureza que fosse verdadeiramente mais perfeita do que eu era, e que mesmo tivesse em si todas as perfeições das quais eu poderia ter qualquer ideia, ou seja, para explicar-me em uma palavra, que fosse Deus.

A isso acrescentei que, porquanto conhecia algumas perfeições que eu não tinha, eu não era o único ser que existia (usarei aqui livremente, se vos aprouver, termos da escola); mas que era preciso necessariamente que houvesse algum outro mais perfeito, do qual eu dependesse, e do qual eu tivesse adquirido tudo o que eu tinha; pois, se eu fosse só e independente de qualquer outro, de sorte que tivesse recebido de mim mesmo todo esse pouco que eu participava do ser perfeito, eu poderia receber de mim, pela mesma razão, todo o excedente que eu sabia me faltar, e assim ser eu mesmo infinito, eterno, imutável, onisciente, todo-poderoso e, enfim, ter todas as perfeições que podia notar existirem em Deus. Pois, seguindo os raciocínios que acabo de fazer, para conhecer a natureza de Deus, tanto quanto a minha o era capaz, eu só tinha de considerar, de todas as coisas das quais eu achava em mim alguma ideia, se era perfeição ou não as possuir; e estava seguro de que nenhuma daquelas que estavam marcadas por qualquer imperfeição existia nele, mas que todas as outras existiam: como eu via que a dúvida, a inconstância, a tristeza e coisas semelhantes, não podiam nele existir, visto que eu mesmo teria gostado de estar isento delas. Depois, além disso, eu tinha ideias de várias coisas sensíveis e corpóreas; pois, conquanto supusesse que estava sonhando, e que tudo o que via ou imaginava era falso, não podia negar, todavia, que as ideias disso não existissem verdadeiramente em meu pensamento. Mas, porquanto eu já havia reconhecido em mim muito claramente que a natureza inteligente é distinta da corpórea; considerando que toda composição testemunha a dependência, e que a dependência é manifestamente um defeito, julguei por isso que não podia ser uma perfeição em Deus ser composto dessas duas naturezas, e que, por conseguinte, Ele não o era; mas que se houvesse quaisquer corpos no mundo, ou então quaisquer inteligências ou outras naturezas que não fossem totalmente perfeitos, seu ser deveria depender do seu poder, de tal sorte que não pudessem subsistir sem ele sequer por um momento.

Quis procurar depois disso outras verdades; e me tendo proposto o objeto dos geômetras, que eu concebia como um corpo contínuo, ou um espaço indefinidamente estendido em comprimento, largura e altura ou profundidade, divisível em diversas partes, que podiam ter diversas figuras e grandezas, e serem mudadas ou transpostas de todas as maneiras, pois os geômetras supõem tudo isso em seu objeto, percorria algumas de suas mais simples demonstrações; e tendo notado que essa grande certeza, que todo mundo lhes atribui, está fundada apenas no fato de que se as concebe evidentemente, segundo a regra que há pouco enunciei, notei também que nada havia nelas que me assegurasse a existência de seu objeto; pois, por exemplo, eu via bem que, supondo um triângulo, era preciso que os seus três ângulos fossem iguais a dois retos; mas eu não via, apesar disso, nada que me assegurasse que houvesse no mundo algum triângulo; ao passo que, voltando a examinar a ideia que eu tinha de um ser perfeito, descobri que a existência nele estava compreendida da mesma forma que está compreendida naquela de um triângulo que seus três ângulos são iguais a dois retos, ou, naquela de uma esfera, que todas as suas partes estão igualmente distantes de seu centro, ou mesmo, ainda mais evidentemente; e que, por conseguinte, é pelo menos tão certo que Deus, que é esse ser tão perfeito, é ou existe, quanto qualquer demonstração de geometria o seria.

Mas o que faz com que haja vários que se persuadem de que há dificuldade em conhecê-lo, e mesmo também de conhecer o que é sua alma, é que eles jamais elevam sua mente além das coisas sensíveis, e estão de tal maneira acostumados a nada considerar senão o imaginando, que é uma forma de pensar peculiar às coisas materiais, que tudo o que não é imaginável parece-lhes não ser inteligível. O que é assaz manifesto pelo fato de que, mesmo os filósofos, tomam por máxima, nas escolas, que nada há no entendimento que não tenha primeiramente estado nos sentidos, onde, todavia, é certo que as ideias de Deus e da alma jamais estiveram; e parece-me que aqueles que queiram usar a imaginação para compreendê-las fazem o mesmo que se, para ouvir os sons ou sentir os odores, quisessem servir-se dos olhos; exceto que há ainda essa diferença: que o sentido da visão não nos assegura menos a verdade de seus objetos do que o fazem aqueles do olfato ou da audição; ao passo que nem nossa imaginação nem nossos sentidos não poderiam jamais nos assegurar de nenhuma coisa se o nosso entendimento não interviesse.

Enfim, se existem ainda homens que não estejam assaz persuadidos da existência de Deus e de sua alma pelas razões que eu trouxe, quero que saibam que todas as outras coisas das quais se pensam talvez mais assegurados, como ter um corpo, e que existem astros e uma terra, e coisas semelhantes, são menos certas; pois, ainda que se tenha uma certeza moral dessas coisas, que é tal que parece, a menos que se seja extravagante, não se poder dela duvidar, todavia também, a menos que se seja desarrazoado, quando é questão de uma certeza metafísica, não se pode negar que seja motivo suficiente para não se estar inteiramente assegurado dela, ter-se notado que se possa, da mesma forma, imaginar, estando dormindo, que se tem outro corpo, e que se vê outros astros e uma outra terra, sem que nada assim o seja. Pois de onde se sabe que os pensamentos que vêm em sonho são mais falsos do que os outros, visto que frequentemente eles não são menos vívidos e expressivos? E ainda que as melhores mentes os estudem tanto quanto lhes aprouver, não acredito que possam dar nenhuma razão que seja suficiente para remover essa dúvida se não pressupuserem a existência de Deus. Pois, primeiramente, aquilo mesmo que eu, há pouco, tomei por regra, a saber, que as coisas que concebemos muito claramente e muito distintamente são todas verdadeiras, só é assegurado porque Deus é ou existe, e porque Ele é um ser perfeito, e porque tudo o que existe em nós vem dele: donde se segue que nossas ideias ou noções, sendo coisas reais e que vêm de Deus, em tudo em que sejam claras e distintas, só podem, portanto, ser verdadeiras. De sorte que, se assaz amiúde tivermos delas que contenham falsidade, não são talvez senão aquelas que têm alguma coisa de confuso e obscuro, porque nisso elas participam do nada, ou seja, elas não estão em nós assim confusas senão porque não somos todo-perfeitos. E é evidente que não há menos repugnância em que a falsidade ou a imperfeição procedam de Deus enquanto tal, do que o há em que a verdade ou a perfeição procedam do nada. Mas se não soubéssemos que tudo o que existe em nós de real e de verdadeiro vem de um ser perfeito e infinito, por claras e distintas que fossem nossas ideias, não teríamos nenhuma razão que nos assegurasse que elas tivessem a perfeição de serem verdadeiras.

Ora, depois que o conhecimento de Deus e da alma nos assim tornou certos dessa regra, é bem fácil conhecer que os devaneios que imaginamos estando adormecidos não devem, de modo algum, nos fazer duvidar da verdade dos pensamentos que temos estando acordados. Pois, se acontecesse, mesmo dormindo, que tivéssemos qualquer ideia muito distinta, como, por exemplo, que um geômetra inventasse qualquer nova demonstração, seu sono não a impediria de ser verdadeira; e quanto ao erro mais ordinário de nossos sonhos, que consiste em representarem-nos diversos objetos da mesma forma que o fazem nossos sentidos exteriores, não importa que nos dê ocasião de desconfiarmos da verdade de tais ideias, porque elas podem também nos enganar assaz amiúde sem que durmamos; como quando aqueles que têm icterícia veem tudo da cor amarela, ou quando os astros ou outros corpos muito afastados nos parecem muito menores do que são. Pois, enfim, estando acordados ou dormindo, não nos devemos jamais deixar persuadir senão pela evidência de nossa razão. E deve-se notar que eu digo de nossa razão, e não de nossa imaginação nem de nossos sentidos: porque ainda que vejamos o sol muito claramente, não devemos julgar por isso que ele seja apenas da grandeza que o vemos; e podemos bem imaginar distintamente uma cabeça de leão enxertada no corpo de uma cabra, sem que seja preciso concluir por isso que exista no mundo uma quimera: porque a razão não nos dita que o que vemos ou imaginamos assim seja verdadeiro; mas ela nos dita realmente que todas as nossas ideias ou noções devem ter algum fundamento de verdade; pois não seria possível que Deus, que é todo-perfeito e todo-verdadeiro, as tivesse posto em nós sem isso; e, porquanto nossos raciocínios não são jamais tão evidentes nem tão inteiros durante o sono quanto durante a vigília, ainda que às vezes nossas imaginações sejam então tão ou mais vívidas e expressivas, ela nos dita também que, nossos pensamentos não podendo ser todo-verdadeiros, porque não somos todo-perfeitos, o que têm de verdade deve infalivelmente se encontrar naqueles que temos estando acordados em vez de em nossos sonhos.

Quinta parte

Eu ficaria muito satisfeito em prosseguir, e em demonstrar aqui toda a cadeia de outras verdades que deduzi dessas primeiras; mas, porque, para este efeito, seria agora necessário que eu falasse de várias questões que estão em controvérsia entre os doutos, com os quais não desejo me indispor, creio que será melhor que eu me abstenha, e que eu diga somente em geral quais sejam, a fim de deixar aos mais sábios julgar se seria útil que o público fosse mais particularmente informado disso. Eu sempre permanecia firme na resolução que havia tomado de não supor nenhum outro princípio que não aquele do qual acabo de me servir para demonstrar a existência de Deus e da alma, e de não receber coisa alguma por verdadeira que não me parecesse mais clara e mais certa do que me haviam parecido anteriormente as demonstrações dos geômetras; e, no entanto, ouso dizer que não somente encontrei um meio de me satisfazer em pouco tempo no tocante a todas as principais dificuldades que se tem o costume de tratar na filosofia, mas também que notei certas leis que Deus, de tal maneira, estabeleceu na natureza, e das quais imprimiu tais noções em nossas almas, que, depois de termos refletido bastante sobre elas, não poderíamos duvidar que não sejam exatamente observadas em tudo o que existe ou que se faz no mundo. Então, considerando a sequência dessas leis, parece-me ter descoberto várias verdades mais úteis e mais importantes do que tudo aquilo que eu havia aprendido anteriormente ou mesmo esperado aprender.

Mas, porquanto tentei explicar as principais em um tratado que algumas considerações me impedem de publicar, não poderia melhor dá-las a conhecer do que dizendo aqui sumariamente o que ele contém. Eu tinha o desígnio de compreender nele tudo o que eu pensava saber, antes de reescrevê-lo, no tocante à natureza das coisas materiais. Mas, assim como os pintores, que, não podendo igualmente bem representar em um quadro plano todas as diversas faces de um corpo sólido, escolhem uma das principais, que põem sozinha voltada para o dia, e, sombreando as outras, só as fazem aparecer tanto quanto se as possa ver a olhando; assim, temendo não poder pôr em meu discurso tudo quanto tivera no pensamento, tentei somente expor bem amplamente o que concebia da luz; depois, oportunamente, ajuntar alguma coisa do sol e das estrelas fixas, porque ela deles procede quase toda; dos céus, porque eles a transmitem; dos planetas, dos cometas e da terra, porque a fazem refletir; e, em particular, de todos os corpos que existem sobre a terra, porque são coloridos, ou transparentes, ou luminosos; e, enfim, do homem, porque é o seu espectador. Mesmo, para sombrear um pouco todas essas coisas, e poder dizer mais livremente o que julgava, sem ser obrigado a seguir nem a refutar as opiniões que são acolhidas entre os doutos, resolvi-me a deixar todo esse mundo às suas disputas, e a falar somente do que aconteceria em um novo, se Deus criasse agora alguma parte, nos espaços imaginários, bastante matéria para o compor, e se agitasse diversamente e sem ordem as diversas partes dessa matéria, de sorte que compusesse dela um caos tão confuso quanto os poetas o possam fingir, e que depois não fizesse outra coisa senão prestar o seu concurso ordinário à natureza, e a deixar agir segundo as leis que estabeleceu. Assim, primeiramente, descrevi essa matéria, e tentei representá-la de tal maneira que não haja nada no mundo, ao que me parece, de mais claro nem mais inteligível, exceto o que há pouco foi dito de Deus e da alma; pois mesmo eu supus expressamente que não havia nela nenhuma dessas formas ou qualidades acerca das quais se disputa nas escolas, nem geralmente nenhuma coisa cujo conhecimento não fosse tão natural às nossas almas que não se pudesse mesmo fingir ignorá-la. Demais, fiz ver quais eram as leis da natureza; e, sem apoiar minhas razões sobre nenhum outro princípio senão sobre as perfeições infinitas de Deus, tentei demonstrar todas aquelas acerca das quais se pudesse ter tido qualquer dúvida, e fazer ver que elas são tais que, ainda que Deus tivesse criado vários mundos, não poderia existir nenhum onde deixassem de ser observadas. Depois disso, mostrei o quanto a maior parte da matéria desse caos devia, em consequência dessas leis, se dispor e se arranjar de uma certa forma que a tornasse semelhante ao nosso céu; como, no entanto, algumas de suas partes deviam compor uma terra e alguns dos planetas e dos cometas, e algumas outras um sol e estrelas fixas. E aqui, estendendo-me sobre o tema da luz, expliquei ainda qual era aquela que se devia encontrar no sol e nas estrelas, e como daí ela atravessava em um instante os imensos espaços dos céus, e como se refletia dos planetas e dos cometas para a terra. Ajuntei a isso ainda várias coisas no tocante à substância, a situação, os movimentos, e todas as diversas qualidades desses céus e desses astros; de sorte que eu pensava dizer a esse respeito o bastante para fazer conhecer que não se nota nada naqueles deste mundo que não devesse, ou, pelo menos, que não pudesse parecer totalmente semelhante naqueles do mundo que eu descrevia. Daí vim a falar particularmente da terra: como, ainda que eu tivesse expressamente suposto que Deus não pusera nenhum peso na matéria da qual foi composta, todas as suas partes não deixavam de tender exatamente para o seu centro; como, tendo água e ar sobre a sua superfície, a disposição dos céus e dos astros, principalmente da lua, devia causar nela um fluxo e refluxo que fosse semelhante, em todas as suas circunstâncias, àquele que se nota em nossos mares, e, além disso, um certo curso, tanto de água quanto de ar, do levante ao poente, tal como se nota também entre os trópicos; como as montanhas, os mares, as fontes e os rios podiam naturalmente nela se formar, e os metais lhe surgirem nas minas, e as plantas lhe crescerem nos campos, e geralmente todos os corpos que se nomeiam mistos ou compostos nela se engendrarem, e, entre outras coisas, porque depois dos astros eu não conheço nada no mundo senão o fogo que produza luz, estudei para fazer entender bem claramente tudo o que pertence à sua natureza, como se faz, como se nutre, como há às vezes apenas calor sem luz, e às vezes apenas luz sem calor; como pode introduzir diversas cores em diversos corpos e diversas outras qualidades; como funde alguns e endurece outros; como os pode consumir quase todos ou converter em cinzas e em fumaça; e, enfim, como dessas cinzas, pela simples violência de sua ação, ele forma vidro; pois, essa transmutação de cinzas em vidro, me parecendo ser tão admirável quanto nenhuma outra que se faça na natureza, comprouve-me particularmente descrevê-la.

Todavia, não queria inferir de todas essas coisas que este mundo tivesse sido criado da forma que propunha; pois é bem mais verossímil que, desde o começo, Deus o tenha tornado tal como devia ser. Mas é certo, e é uma opinião comumente adotada entre os teólogos, que a ação pela qual agora

Ele o conserva, é exatamente a mesma que aquela pela qual o criou; de forma que ainda que não lhe tivesse dado no começo outra forma que não aquela do caos, desde que, tendo estabelecido as leis da natureza, lhe emprestou seu concurso para agir assim como tem costume, pode-se acreditar, sem prejudicar o milagre da criação, que por isso só todas as coisas que sejam puramente materiais poderiam, com o tempo, se tornarem tais como nós as vemos no presente; e sua natureza é bem mais fácil de conceber, quando se as vê nascerem pouco a pouco desta maneira, do que quando só se as considera já prontas.

Da descrição dos corpos inanimados e das plantas, passei à dos animais, e particularmente à dos homens. Mas porque não tinha ainda bastante conhecimento para falar deles com o mesmo estilo que do resto, ou seja, demonstrando os efeitos pelas causas e demonstrando de quais sementes e de que forma a natureza os deve produzir, contentei-me em supor que Deus formasse o corpo de um homem inteiramente semelhante a um dos nossos, tanto na figura exterior de seus membros quanto na conformação interior de seus órgãos, sem o compor de outra matéria que não aquela que eu havia descrito, e sem pôr nele, no começo, nenhuma alma racional, nem nenhuma outra coisa para servir-lhe de alma vegetativa ou sensitiva, senão que excitasse em seu coração um desses fogos sem luz que eu havia já explicado, e que não concebia nenhuma outra natureza que não aquela que aquece o feno quando o guardam antes que esteja seco, ou que faz ferver os vinhos novos quando se os deixa fermentar sobre o bagaço: pois, examinando as funções que podiam em decorrência disso estar neste corpo, encontrava exatamente todas aquelas que podem estar em nós sem que nelas pensemos, nem, por conseguinte, que a nossa alma, isto é, essa parte distinta do corpo de cuja natureza foi dito acima que consiste apenas em pensar, para isso contribua, e que são todas as mesmas nas quais se pode dizer que os animais sem razão se nos assemelham; sem que eu possa para isso achar nenhuma daquelas que, sendo dependentes do pensamento, sejam as únicas que nos pertencem, enquanto homens; ao passo que eu as achava a todas em seguida, tendo suposto que Deus criou uma alma racional, e que a juntou a esse corpo de certa forma que eu descrevia.

Mas, a fim de que se possa ver de que maneira eu tratava essa matéria, quero colocar aqui a explicação do movimento do coração e das artérias, que sendo o primeiro e mais geral que se observa nos animais, se julgará facilmente, a partir dele, o que se deve pensar de todos os outros. E a fim de que se tenha menos dificuldade de entender o que direi acerca disso, gostaria que aqueles que não são versados na anatomia se dessem ao trabalho, antes de ler isso, de fazer cortar diante deles o coração de algum grande animal que tenha pulmões, pois é em tudo bastante semelhante àquele do homem, e que façam lhes mostrar as duas câmaras ou concavidades que nele existem: primeiramente aquela que está no lado direito, à qual respondem dois tubos muito largos; a saber, a veia cava, que é o principal receptáculo do sangue, e como que o tronco da árvore da qual todas as outras veias do corpo são os ramos; e a veia arteriosa, que foi assim malnomeada, porque é de fato uma artéria, a qual, tomando sua origem no coração, se divide, depois de sair dele, em vários ramos que vão se espalhar por todas as partes nos pulmões: depois, aquela que está no lado esquerdo, à qual respondem, da mesma forma, dois tubos que são tão, ou mais largos do que os precedentes; a saber, a artéria venosa, que foi também malnomeada, porque não é outra coisa senão uma veia, a qual vem dos pulmões, onde é dividida em vários ramos entrelaçados com aqueles da veia arteriosa, e aquelas desse conduto que se chama goela, por onde entra o ar da respiração; e a grande artéria que, saindo do coração, lança seus ramos por todo o corpo. Gostaria também que se lhes mostrassem cuidadosamente as onze pequenas peles que, como tantas pequenas portas, abrem e fecham as quatro aberturas que existem nessas duas concavidades; a saber, três à entrada da veia cava, onde estão de tal maneira dispostas que não podem, de modo algum, evitar que o sangue que ela contém flua para a concavidade direita do coração, e todavia impedem exatamente que possa dela sair; três à entrada da veia arteriosa, que, estando dispostas ao contrário, permitem bem ao sangue que está nessa concavidade passar aos pulmões, mas não ao que está nos pulmões retornar a ela; e assim duas outras à entrada da artéria venosa, que deixam fluir o sangue dos pulmões para a concavidade esquerda do coração, mas se opõe ao seu retorno; e três à entrada da grande artéria, que lhe permitem sair do coração, mas o impedem de retornar a ele: e não é necessário buscar outra razão para o número dessas peles, senão a de que a abertura da artéria venosa, sendo oval por causa do lugar onde se encontra, pode ser adequadamente fechada com duas, enquanto que as outras, sendo redondas, podem sê-lo melhor com três. Demais, gostaria que se lhes fizessem considerar que a grande artéria e a veia arteriosa são de uma composição muito mais dura e mais firme do que a artéria venosa e a veia cava; e que estas duas últimas se alargam antes de entrar no coração, e aí fazem como que duas bolsas, chamadas de as orelhas do coração, que são compostas de uma carne semelhante à sua; e que há sempre mais calor no coração do que em qualquer outro lugar do corpo; e, enfim, que esse calor é capaz de fazer com que, se entrar alguma gota de sangue em suas concavidades, ela se infle prontamente e se dilate, assim como fazem geralmente todos os líquidos, quando se os deixam cair gota a gota em algum vaso que esteja muito quente.

Pois, depois disso, não preciso dizer outra coisa para explicar o movimento do coração, senão que, quando suas concavidades não estão cheias de sangue, ele aí flui necessariamente da veia cava para a direita e da artéria venosa para a esquerda, porquanto esses dois vasos estão sempre cheios, e suas aberturas, que estão voltadas para o coração, não podem então ser bloqueadas; mas, tão logo tenham entrado assim duas gotas de sangue, uma em cada uma das suas concavidades, essas gotas, que só podem ser muito grossas, porque as aberturas por onde elas entram são muito largas e os vasos de onde vêm muito cheios de sangue, se rarefazem e se dilatam, por causa do calor que aí encontram; por meio do que, fazendo inflar todo o coração, empurram e fecham as cinco pequenas portas que estão nas entradas dos dois vasos de onde vêm, impedindo assim de descer ainda mais sangue ao coração; e, continuando a rarefazer-se cada vez mais, empurram e abrem as seis outras pequenas portas que estão nas entradas dos dois outros vasos pelos quais saem, fazendo inflar, por esse meio, todos os ramos da veia arteriosa e da grande artéria, quase no mesmo instante que o coração; o qual incontinente depois se desinfla, como o fazem também essas artérias, porque o sangue que entrou nelas esfria; e suas seis pequenas portas se fecham novamente, e as cinco da veia cava e da artéria venosa se reabrem, e dão passagem a duas outras gotas de sangue, que fazem novamente inflar o coração e as artérias, assim como as precedentes. E porque o sangue que entra assim no coração passa por essas duas bolsas chamadas de suas orelhas, daí vem que o movimento dessas é contrário ao seu, e que se desinflam quando ele se infla. De resto, a fim de que aqueles que não conhecem a força das demonstrações matemáticas, e não estão acostumados a distinguir as verdadeiras razões das verossímeis, não se arrisquem a negar isso sem o examinar, quero adverti-los de que esse movimento que eu acabo de explicar se segue também necessariamente da mera disposição dos órgãos que se podem ver com os olhos no coração, e do calor que se pode sentir com os dedos, e da natureza do sangue que se pode conhecer por experiência, como o faz aquele de um relógio, da força, da situação e da figura de seus contrapesos e rodas.

Mas, se alguém pergunta como o sangue das veias não se esgota, fluindo assim continuamente para o coração, e como as artérias não ficam cheias demais, porquanto tudo aquilo que passa pelo coração vai dar nelas, não preciso responder outra coisa além do que já foi escrito por um médico da Inglaterra, ao qual é preciso dar o louvor por ter quebrado o gelo neste lugar, e por ser o primeiro que ensinou que há várias pequenas passagens nas extremidades das artérias, por onde o sangue que recebem do coração entra nos pequenos ramos das veias, de onde vai novamente para o coração; de sorte que seu curso não é outra coisa que uma circulação perpétua. O que ele prova muito bem pela experiência ordinária dos cirurgiões, que, tendo ligado o braço não muito forte, acima do ponto onde abrem a veia, fazem com que o sangue saia dela mais abundante do que se não o tivessem ligado; e aconteceria exatamente o contrário se eles o ligassem abaixo, entre a mão e a abertura, ou se o ligassem muito forte acima. Pois é manifesto que a ligadura, não muito apertada, podendo impedir que o sangue que está já no braço retorne ao coração pelas veias, não impede por isso que ele para aí venha sempre de novo pelas artérias, porque elas estão situadas abaixo das veias, e porque suas peles, sendo mais duras, são menos fáceis de pressionar; e também porque o sangue que vem do coração tende com mais força a passar por elas para a mão, do que a retornar daí para o coração pelas veias; e porquanto este sangue sai do braço pela abertura que existe em uma das veias, deve necessariamente haver algumas passagens abaixo da ligadura, isto é, para as extremidades do braço, por onde possa vir das artérias. Ele também prova muito bem o que diz do curso do sangue, por certas pequenas peles, que estão de tal maneira dispostas em diversos pontos ao longo das veias, que não lhe permitem passar do meio do corpo para as extremidades, mas somente retornar das extremidades para o coração; e, demais, pela experiência que mostra que todo aquele que está no corpo pode dele sair em muito pouco tempo por uma única artéria quando ela é cortada, ainda mesmo que ela fosse estreitamente ligada muito perto do coração, e cortada entre ele e a ligadura, de sorte que não houvesse nenhuma razão para imaginar que o sangue que daí saísse viesse de alhures.

Mas há várias outras coisas que testemunham que a verdadeira causa desse movimento do sangue é a que eu disse. Como, primeiramente, a diferença que se nota entre aquele que sai das veias e aquele que sai das artérias só pode proceder do fato de que estando rarefeito e como que destilado ao passar pelo coração, é mais sutil e mais vivo e mais quente incontinente depois de ter saído, isto é, estando nas artérias, do que o é apenas um pouco antes de entrar nele, isto é, estando nas veias. E, se observarmos, veremos que essa diferença só aparece bem na direção do coração, e não tanto nos lugares que dele estejam mais afastados. Depois, a dureza das peles das quais a veia arteriosa e a grande artéria são compostas mostra o suficiente que o sangue bate contra elas com mais força do que contra as veias. E por que a concavidade esquerda do coração e a grande artéria seriam mais amplas e mais largas do que a concavidade direita e a veia arteriosa, senão porque o sangue da artéria venosa, só tendo estado nos pulmões depois que passou pelo coração, é mais sutil e se rarefaz mais forte e mais facilmente do que aquele que vem imediatamente da veia cava? E o que os médicos podem deduzir ao sentir o pulso, se não souberem que, segundo o sangue muda de natureza, ele pode ser rarefeito pelo calor do coração mais ou menos forte, e mais ou menos rápido do que antes? E se examinarmos como este calor se comunica aos outros membros, não precisamos reconhecer que é por meio do sangue, que, passando pelo coração, nele se aquece e daí se espalha por todo o corpo? Donde vem que, se tirarmos o sangue de alguma parte, tiramos pelo mesmo meio o calor; e ainda que o coração fosse tão ardente quanto um ferro em brasa, não seria suficiente para aquecer os pés e as mãos como o faz, se não lhes enviasse continuamente novo sangue. Depois, também se sabe daí que o verdadeiro uso da respiração é trazer bastante ar fresco aos pulmões para fazer com que o sangue que aí chega da concavidade direita do coração, onde foi rarefeito e como que mudado em vapores, se espesse e se converta em sangue novamente, antes de voltar a cair na esquerda, sem o que não poderia estar próprio para servir de alimento para o fogo que aí está; o que se confirma porque vemos que os animais que não têm pulmões têm apenas uma única concavidade no coração, e que as crianças, que não os podem usar enquanto estejam encerradas no ventre de suas mães, têm uma abertura por onde flui sangue da veia cava para a concavidade esquerda do coração, e um conduto por onde ele vem da veia arteriosa para a grande artéria, sem passar pelo pulmão. Depois a cocção, como se faria ela no estômago, se o coração não lhe enviasse calor pelas artérias, e com esse, algumas das partes mais fluidas do sangue, que ajudam a dissolver as carnes que aí pusemos? E a ação que converte o suco dessas carnes em sangue não é fácil de conhecer, se considerarmos que ele se destila, passando e repassando pelo coração, talvez mais de cem ou duzentas vezes a cada dia? E de qual outra coisa é preciso para explicar a nutrição e a produção dos diversos humores que existem no corpo, senão dizer que a força com que o sangue, ao se rarefazer, passa do coração para as extremidades das artérias, faz com que algumas de suas partes se detenham entre aquelas dos membros onde se acham, e aí tomem o lugar de algumas outras que elas expulsam, e que, segundo a situação ou a figura ou a pequenez dos poros que encontram, algumas vão para alguns lugares em vez de outros, da mesma forma que cada qual pode ter visto diversos crivos, que, sendo diversamente perfurados, servem para separar diversos grãos uns dos outros? E, enfim, o que há de mais notável em tudo isso, é a geração dos espíritos animais, que são como um vento muito sutil, ou antes como uma chama muito pura e muito viva, que, subindo continuamente em grande abundância do coração ao cérebro, vai de lá pelos nervos aos músculos, e dá o movimento a todos os membros; sem que seja necessário imaginar outra causa que faça com que as partes do sangue que, sendo as mais agitadas e as mais penetrantes, são as mais apropriadas para compor esses espíritos, vão mais para o cérebro do que para alhures, senão que as artérias que as carregam até aí são aquelas que vêm do coração mais em linha reta do que todas, e que, segundo as regras da mecânica, que são as mesmas que as da natureza, quando várias coisas tendem juntas a se moverem para um mesmo lado onde não haja lugar suficiente para todas, assim como as partes do sangue que saem da concavidade esquerda do coração tendem para o cérebro, as mais fracas e menos agitadas devem ser desviadas pelas mais fortes, que, por este meio, aí vão ter sozinhas.

Eu explicara assaz particularmente todas essas coisas no tratado que eu tinha outrora o desígnio de publicar. E, em seguida, mostrara nele qual deve ser a fábrica dos nervos e dos músculos do corpo humano, para fazer com que os espíritos animais, estando dentro, tenham a força de mover seus membros, assim como se vê que as cabeças, um pouco depois de serem cortadas, se remexem ainda e mordem a terra não obstante não estejam mais animadas; quais mudanças se devem fazer no cérebro para causar a vigília, e o sono, e os sonhos; como a luz, os sons, os odores, os gostos, o calor e todas as outras qualidades dos objetos exteriores nele podem imprimir diversas ideias, por intermédio dos sentidos; como a fome, a sede e as outras paixões interiores lhe podem também enviar as suas; o que deve nele ser tomado pelo senso comum, onde essas ideias são recebidas, pela memória, que as conserva, e pela fantasia, que as pode diversamente modificar e lhe compor novas, e, pelo mesmo meio, distribuindo os espíritos animais pelos músculos, fazer mover os membros desse corpo de tantas diversas formas, e tanto a propósito dos objetos que se apresentam a seus sentidos quanto das paixões interiores que estão nele, que as nossas se possam mover sem que a vontade as conduza: o que não parecerá nem um pouco estranho àqueles que, sabendo quão diversos *autômatos* ou máquinas moventes, a indústria dos homens pode fazer, sem nisso empregar senão muito poucas peças, em comparação à grande multitude de ossos, músculos, nervos, artérias, veias e todas as outras partes que existem no corpo de cada animal, considerarão esse corpo como uma máquina, que, tendo sido feita pelas mãos de Deus, é incomparavelmente melhor ordenada e tem em si movimentos mais admiráveis do que qualquer uma daquelas que possam ser inventadas pelos homens. E eu havia aqui particularmente me detido para mostrar que, se houvesse tais máquinas que tivessem os órgãos e a figura exterior de um macaco ou de qualquer outro animal sem razão, não teríamos nenhum meio para reconhecer que elas não seriam em tudo da mesma natureza que esses animais; enquanto que, se houvesse alguma que tivesse a semelhança de nossos corpos, e imitasse tanto nossas ações quanto moralmente fosse possível, teríamos sempre dois meios muito certos para reconhecer que eles não seriam por isso verdadeiros homens: dos quais o primeiro é que jamais poderiam usar palavras nem outros sinais ao compô-los, como fazemos para declarar aos outros nossos pensamentos, pois pode-se bem conceber que uma máquina seja de tal maneira feita que profira palavras, e mesmo que profira algumas a propósito de ações corporais que causem alguma mudança em seus órgãos, como, se alguém a toca em algum lugar, que ela pergunte o que se lhe quer dizer; se em um outro, que ela grite que se lhe está fazendo mal, e coisas semelhantes; mas não que ela as arranje diversamente para responder ao sentido de tudo aquilo que se disser em sua presença, assim como os homens mais embrutecidos podem fazer. E o segundo é que, se bem que fizessem várias coisas tão bem ou talvez melhor do que qualquer um de nós, fracassariam infalivelmente em algumas outras, pelas quais se descobriria que não agiriam por conhecimento, mas somente pela disposição de seus órgãos: pois, enquanto que a razão é um instrumento universal que pode servir em toda sorte de situações, esses órgãos precisam de alguma disposição particular para cada ação particular; donde vem que seja moralmente impossível que haja diversas suficientes em uma máquina para fazê-la agir em todas as ocorrências da vida da mesma forma que nossa razão nos faz agir. Ora, por esses dois mesmos meios, pode-se também conhecer a diferença que existe entre os homens e as bestas. Pois é uma coisa bem notável que não existam homens tão embrutecidos e tão estúpidos, sem excetuar mesmo os insensatos, que não sejam capazes de arranjar juntas diversas palavras, e delas compor um discurso pelo qual façam entender seus pensamentos; e que, ao contrário, não exista outro animal, tão perfeito e tão felizmente nascido que possa ser, que faça algo semelhante. O que não acontece porque tenham falta de órgãos: pois vemos que as pegas-rabudas e os papagaios podem proferir palavras assim como nós, e, todavia, não podem falar como nós, isto é, testemunhando que pensem o que dizem; enquanto que os homens que, tendo nascido surdos e mudos, são privados dos órgãos que servem aos outros para falar, tanto ou mais do que as bestas, têm o costume de inventar por si mesmos alguns sinais, pelos quais se fazem entender por aqueles que, estando ordinariamente com eles, têm o lazer de aprender sua língua. E isso não testemunha somente que as bestas têm menos razão do que os homens, mas que não têm absolutamente nenhuma: pois vê-se que é preciso muito pouco para saber falar; e porquanto se nota desigualdade entre os animais de uma mesma espécie, bem como entre os homens, e que uns são mais fáceis de adestrar do que outros, não é crível que um macaco ou um papagaio que fossem os mais perfeitos de sua espécie não se igualassem nisso a uma criança das mais estúpidas, ou pelo menos uma criança que tivesse o cérebro perturbado, se sua alma não fosse de uma natureza totalmente diferente da nossa.

E não se deve confundir as palavras com os

movimentos naturais, que testemunham as paixões, e podem ser imitados por máquinas, bem como pelos animais; nem pensar, como alguns antigos, que as bestas falem, se bem que não entendamos sua linguagem. Pois, se fosse verdade, porquanto têm vários órgãos correlatos aos nossos, poderiam se fazer entender tanto por nós quanto por seus semelhantes. É também uma coisa muito notável que, se bem que existam vários animais que testemunham mais indústria do que nós em algumas de suas ações, vemos, todavia, que os mesmos não testemunham nenhuma em muitas outras: de forma que aquilo que fazem melhor do que nós não prova que tenham espírito, pois, por essa conta, eles o teriam mais do que qualquer um de nós e fariam melhor em todas as outras coisas; mas, antes, que não têm nenhum, e que é a natureza que age neles segundo a disposição de seus órgãos; assim como vemos que um relógio, que é composto apenas de rodas e molas, pode contar as horas e medir o tempo mais justamente do que nós com toda a nossa prudência.

Eu havia descrito, depois disso, a alma racional, e feito ver que ela não pode, de modo algum, ser tirada do poder da matéria, assim como as outras coisas de que havia falado, mas que ela deve expressamente ser criada; e como não é suficiente que ela esteja alojada no corpo humano, assim como um piloto em seu navio, senão talvez para mover seus membros, mas que é necessário que esteja juntada e unida mais estreitamente a ele, para ter, além disso, sentimentos e apetites semelhantes aos nossos, e assim compor um verdadeiro homem. De resto, me estendi um pouco aqui sobre o tema da alma, porque é dos mais importantes; pois, depois do erro daqueles que negam a Deus, o qual penso ter acima suficientemente refutado, não há nenhum que afaste mais as mentes fracas do reto caminho da virtude, do que imaginar que a alma das bestas seja da mesma natureza que a nossa, e que, por conseguinte, nada tenhamos a temer nem a esperar depois dessa vida, não mais do que as moscas e as formigas; enquanto que, quando se sabe o quanto diferem, compreende-se muito melhor as razões que provam que a nossa é de uma natureza inteiramente independente do corpo, e, por conseguinte, que não está sujeita a morrer com ele; então, uma vez que não se veem outras causas que a destruam, somos naturalmente levados a julgar daí que ela é imortal.

Sexta parte

Ora, faz agora três anos que eu chegara ao fim do tratado que contém todas essas coisas, e que começara a revê-lo a fim de colocá-lo nas mãos de um impressor, quando soube que pessoas a quem respeito, e cuja autoridade quase não pode menos sobre minhas ações do que minha própria razão sobre meus pensamentos, haviam desaprovado uma opinião de física publicada um pouco anteriormente por algum outro, da qual não quero dizer que eu fosse; mas embora eu nada tivesse nela notado antes de sua censura que eu pudesse imaginar ser prejudicial nem à religião nem ao Estado, nem, por conseguinte, que me houvesse impedido de escrevê-la se a razão a tanto me houvesse persuadido, e que isso me fez temer que se encontrasse, da mesma forma, alguma entre as minhas na qual eu estivesse enganado, não obstante o grande cuidado que eu sempre tive de não receber novas em minha crença das quais não tivesse demonstrações muito certas, e de não escrever nenhuma que pudesse se voltar para a desvantagem de alguém. O que foi suficiente para me obrigar a mudar a resolução que eu havia tido de as publicar; pois, ainda que as razões pelas quais eu a havia tomado anteriormente fossem muito fortes, minha inclinação, que sempre me fez odiar o ofício de fazer livros, me fez incontinente encontrar muitas outras para dela me escusar. E essas razões de uma parte e de outra são tais, que não somente tenho aqui algum interesse em dizê-las, mas talvez também que o público o tenha em sabê-las.

Nunca fiz muito caso das coisas que vinham da minha mente; e enquanto não recolhi outros frutos do método do qual me sirvo, senão que me satisfiz no tocante a algumas dificuldades que pertencem às ciências especulativas, ou então que tentei regrar meus modos pelas razões que ele me ensinava, não cri ser obrigado a nada escrever a seu respeito. Pois, no que toca aos modos, cada um abunda de tantos juízos, que se poderia encontrar tantos reformadores quanto cabeças, se fosse permitido a outros que não aqueles que Deus estabeleceu como soberanos sobre seus povos, ou aos quais deu bastante graça e zelo para serem profetas, tentar mudá-los um pouco; e, se bem que minhas especulações me agradassem muito, acreditei que os outros também as tivessem que lhes agradassem talvez ainda mais. Mas, tão logo adquiri algumas noções gerais tocantes à física, e, começado a experimentá-las em diversas dificuldades particulares, notei até onde podem conduzir, e o quanto diferem dos princípios utilizados até o presente, acreditei que não podia mantê-las escondidas sem pecar grandemente contra a lei que nos obriga a procurar, tanto quanto esteja ao nosso alcance, o bem geral de todos os homens: porque elas me fizeram ver que é possível alcançar conhecimentos que sejam muito úteis à vida; e que em lugar dessa filosofia especulativa que se ensina nas escolas, pode-se encontrar uma prática, pela qual, conhecendo a força e as ações do fogo, da água, do ar, dos astros, dos céus e de todos os outros corpos que nos cercam, tão distintamente quanto conhecemos os diversos misteres de nossos artesãos, nós os poderíamos empregar da mesma forma em todos os usos para os quais são próprios, e assim nos tornarmos como que senhores e possuidores da natureza. O que não é somente desejável para a invenção de uma infinidade de artifícios, que fariam que se desfrutasse, sem nenhuma pena, dos frutos da terra e de todas as comodidades que nela se encontram, mas principalmente também para a conservação da saúde, a qual é, sem dúvida, o primeiro bem e o fundamento de todos os outros bens desta vida; pois mesmo a mente depende tanto do temperamento e da disposição dos órgãos do corpo, que, se for possível encontrar algum meio que torne comumente os homens mais sábios e hábeis do que foram até aqui, creio que seja na medicina que se o deve procurar. É verdade que aquela que está agora em uso contém poucas coisas cuja utilidade seja tão notável: mas, sem que eu tenha qualquer desígnio de a desprezar, eu me asseguro de que não haja ninguém, mesmo daqueles que a professem, que não reconheça que tudo o que nela se sabe é quase nada em comparação com o que resta por saber; e que nos poderíamos isentar de uma infinidade de doenças, tanto do corpo quanto da mente, e mesmo também talvez do enfraquecimento da velhice, se tivéssemos conhecimento suficiente de suas causas e de todos os remédios que a natureza nos proveu. Ora, tendo o desígnio de empregar toda a minha vida na busca de uma ciência tão necessária, e tendo encontrado um caminho que me parece tal que se deva infalivelmente encontrá-la seguindo-o, se não formos impedidos de fazê-lo, ou pela brevidade da vida ou pela falta de experiências, julguei que não havia melhor remédio contra esses dois impedimentos do que comunicar fielmente ao público todo o pouco que eu tivesse encontrado, e convidar as boas mentes a tentarem ultrapassar, contribuindo, cada qual segundo sua inclinação e seu poder, para as experiências que seria preciso fazer, e comunicando também ao público todas as coisas que aprendesse, a fim de que os últimos, começando onde os precedentes tivessem concluído, e assim juntando as vidas e os trabalhos de vários, fôssemos todos juntos muito mais longe do que cada um em particular poderia fazê-lo.

Notei mesmo, no tocante às experiências, que elas são tanto mais necessárias quanto mais avançado se esteja em conhecimento; pois, no começo, mais vale servir-se apenas daquelas que se apresentam por si mesmas aos nossos sentidos, e que não poderíamos ignorar, contanto que reflitamos, ainda que pouco, sobre elas, do que buscar as mais raras e estudadas: a razão disso é que essas mais raras enganam frequentemente, quando não se sabe ainda as causas das mais comuns, e que as circunstâncias das quais dependem são quase sempre tão particulares e tão pequenas, que é muito difícil notá-las. Mas a ordem que mantive nisso foi a seguinte. Primeiramente, tentei encontrar em geral os princípios, ou primeiras causas, de tudo o que existe ou que pode existir no mundo, sem nada considerar para esse efeito senão Deus só, que o criou, nem as tirar de alhures, senão de certas sementes de verdades que existem naturalmente em nossas almas. Depois disso, examinei quais eram os primeiros e mais ordinários efeitos que se poderiam deduzir dessas causas; e parece-me que, por aí, encontrei céus, astros, uma terra, e mesmo sobre a terra água, ar, fogo, minerais e outras tais coisas, que são as mais comuns de todas e as mais simples, e, por conseguinte, as mais fáceis de conhecer. Depois, quando quis descer àquelas que eram mais particulares, tão diversas se me apresentaram, que não pude acreditar que fosse possível para a mente humana distinguir as formas ou espécies de corpos que existem sobre a terra, de uma infinidade de outras que poderiam nela existir se fosse a vontade de Deus aí colocá-las, nem, por conseguinte, dispô-las para o nosso uso, a não ser que se venha ao encontro das causas pelos efeitos, e que se sirva de várias experiências particulares. Após o quê, repassando minha mente sobre todos os objetos que alguma vez se apresentaram aos meus sentidos, ouso dizer que não notei nenhuma coisa que eu não pudesse assaz comodamente explicar pelos princípios que eu havia encontrado. Mas é preciso ainda que eu reconheça que o poder da natureza é tão amplo e tão vasto, e que esses princípios são tão simples e tão gerais, que quase não noto nenhum efeito particular que de antemão não soubesse que possa ser daí deduzido de várias diversas formas, e que minha maior dificuldade é de ordinário descobrir de qual dessas formas depende; pois, para isso, não sei de nenhum outro expediente senão buscar novamente algumas experiências que sejam tais que seu acontecimento não seja o mesmo se for de uma dessas formas que se o deva explicar e não de outra. De resto, eis-me agora onde posso ver, parece-me, suficientemente bem qual viés se deve assumir para fazer a maioria daquelas que podem servir para esse efeito; mas vejo também que são tais, e em tão grande número, que nem minhas mãos nem minha renda, ainda que eu tivesse mil vezes mais do que tenho, seriam suficientes para todas; de sorte que, segundo eu tenha doravante a comodidade de fazê-las mais ou menos, avançarei também mais ou menos no conhecimento da natureza: o que me prometia fazer conhecer pelo tratado que escrevera, e demonstrar tão claramente a utilidade que o público pode disso receber, que obrigaria a todos aqueles que desejam em geral o bem dos homens, isto é, todos aqueles que são de fato virtuosos, e não por fingimento nem somente por opinião, tanto a me comunicar aquelas que já fizeram quanto a me ajudar na busca daquelas que restam por fazer.

Mas tive desde então outras razões que me fizeram mudar de opinião, e pensar que devia verdadeiramente continuar a escrever todas as coisas que eu julgasse de alguma importância à medida que eu lhes descobrisse a verdade, e conferir-lhes o mesmo cuidado como se as quisesse fazer imprimir, tanto a fim de ter mais ocasião de examiná-las bem, como, sem dúvida, vê-se sempre mais de perto aquilo que se acredita dever ser visto por vários do que aquilo que se faz apenas para si mesmo, e, frequentemente, as coisas que me pareceram verdadeiras quando comecei a concebê-las, pareceram-me falsas quando as quis colocar sobre o papel, seja a fim de não perder nenhuma ocasião de aproveitar ao público, se disso sou capaz, seja para que, se meus escritos valem alguma coisa, aqueles que os tiverem após minha morte os possam usar como for mais apropriado; mas que não devia de modo algum consentir que fossem publicados durante a minha vida, a fim de que nem as oposições e controvérsias às quais estariam talvez sujeitos, nem mesmo a reputação tal qual me pudessem conferir, me dessem qualquer ocasião de perder o tempo que tenho o desígnio de empregar em instruir-me. Pois, se bem que seja verdadeiro que cada homem é obrigado a procurar, tanto quanto esteja ao seu alcance, o bem dos outros, e que é propriamente valer nada não ser útil a ninguém, todavia é verdade também que nossos cuidados se devem estender mais longe do que o tempo presente, e que é bom omitir as coisas que trouxessem talvez algum proveito para aqueles que vivem, quando é intencional fazer outras que tragam mais à nossa posteridade. Pois, com efeito, quero que se saiba que o pouco que aprendi até aqui é quase nada em comparação com o que ignoro e que não desespero de poder aprender: pois se dá quase o mesmo com aqueles que descobrem pouco a pouco a verdade nas ciências, que com aqueles que, começando a se tornarem ricos, têm menos dificuldade em fazer grandes aquisições, do que tiveram anteriormente, sendo mais pobres, em fazer muito menores. Ou então se os pode comparar aos chefes de exército, cujas forças costumam crescer à proporção de suas vitórias, e que precisam de mais conduta para se manterem após a perda de uma batalha, do que têm, depois de tê-la ganhado, para tomar cidades e províncias: pois é verdadeiramente das batalhas tentar vencer todas as dificuldades e os erros que nos impedem de alcançar o conhecimento da verdade, e é perder uma receber qualquer falsa opinião no tocante a uma matéria um pouco geral e importante; é preciso depois muito mais destreza para se recolocar no mesmo estado que antes, o que não é preciso para fazer grandes progressos quando já se tem princípios que estejam assegurados. Quanto a mim, se até agora encontrei algumas verdades nas ciências (e espero que as coisas que estão contidas neste volume façam julgar que encontrei algumas), posso dizer que estas são apenas consequências e dependências de cinco ou seis principais dificuldades que superei, e que conto, portanto, com batalhas onde tive a sorte do meu lado: não temerei mesmo dizer que penso precisar ganhar apenas duas ou três outras semelhantes para realizar inteiramente meus desígnios; e que minha idade não é tão avançada que, segundo o curso ordinário da natureza, eu não possa ainda ter bastante lazer para esse efeito. Mas acredito estar tanto mais obrigado a poupar o tempo que me resta quanto mais esperança tenho de o poder bem empregar; e teria, sem dúvida, várias ocasiões de o perder, se publicasse os fundamentos de minha física: pois, ainda que sejam quase todos tão evidentes que basta os entender para neles acreditar, e que não haja nenhum de que eu não pense poder dar demonstrações, todavia, porque é impossível que estejam acordantes com todas as diversas opiniões dos outros homens, prevejo que seria amiúde desvirtuado pelas oposições que fariam nascer.

Pode-se dizer que essas oposições seriam úteis, tanto a fim de me fazerem conhecer minhas faltas quanto a fim de que, se eu tivesse alguma coisa de bom, os outros dela tivessem, por esse meio, mais entendimento, e, como vários podem ver mais do que um homem só, de que, começando desde agora a servir-se dela, me ajudassem também com suas invenções. Mas, ainda que eu me reconheça extremamente sujeito a falhar, e que não me fie quase nunca nos primeiros pensamentos que me vêm, todavia, a experiência que tenho das objeções que me podem fazer me impede de esperar delas algum proveito: porque já amiúde provei os julgamentos, tanto daqueles que eu tinha por meus amigos quanto de alguns outros a quem eu pensava ser indiferente, e mesmo também de alguns dos quais eu sabia que a malignidade e a inveja tentariam bastante descobrir o que a afeição esconderia dos meus amigos; mas raramente aconteceu que me tenham objetado alguma coisa que eu não tivesse, de modo algum, previsto, a menos que estivesse muito distanciada do meu assunto; de sorte que quase nunca encontrei algum censor de minhas opiniões que não me parecesse ou menos rigoroso ou menos equitativo do que eu mesmo. E jamais notei tampouco que por meio das disputas que se praticam nas escolas, se tenha descoberto alguma verdade que se ignorasse anteriormente: pois enquanto cada um tenta vencer, exercita-se bem mais em fazer valer a verossimilhança do que em pesar as razões de uma parte e de outra; e aqueles que foram por muito tempo bons advogados não são por isso, subsequentemente, melhores juízes.

Quanto à utilidade que os outros receberiam da comunicação de meus pensamentos, não poderia também ser muito grande, porquanto ainda não os conduzi tão longe que não seja necessário ajuntar-lhes muitas coisas antes de os aplicar ao uso. E penso poder dizer, sem vaidade, que se houver alguém que seja capaz disso, este deve ser antes eu do que algum outro: não que não possa haver no mundo várias mentes incomparavelmente melhores do que a minha, mas porque não se poderia tão bem conceber uma coisa e torná-la sua, quando se aprende de outrem, quanto quando a inventamos nós mesmos. O que é tão verdadeiro nesta matéria, que, se bem que eu tenha frequentemente explicado algumas de minhas opiniões a pessoas de muito boa mente, e que, enquanto eu lhes falava, pareciam entendê-las muito distintamente, todavia, quando as repetiam, notei que as tinham mudado quase sempre de tal sorte que eu não as podia mais reconhecer como minhas. Eis por que estou bem satisfeito em rogar aqui, à nossa posteridade, para que não acredite jamais que as coisas que lhe digam vêm de mim, quando eu não as tiver eu mesmo divulgado. E não me espanto, de maneira alguma, com as extravagâncias que se atribuem a todos esses antigos filósofos cujos escritos não temos, nem julgo por isso que seus pensamentos tenham sido muito desarrazoados, visto que eram as melhores mentes de seu tempo, mas somente que fomos mal-informados a seu respeito. Como vê-se também que quase nunca aconteceu que algum de seus seguidores os tenha superado; e estou seguro de que os mais apaixonados daqueles que seguem agora Aristóteles se considerariam felizes se tivessem tanto conhecimento da natureza quanto ele, ainda mesmo que fosse com a condição de que nunca teriam mais do que isso. Eles são como a hera, que não tende a subir mais alto do que as árvores que a sustentam, e, mesmo frequentemente, que descem novamente, depois de terem alcançado o seu cume; pois me parece também que descem novamente, isto é, se tornam de alguma forma menos sábios do que se se abstivessem de estudar, os quais, não contentes em saber tudo o que é inteligivelmente explicado no seu autor, querem além disso nele encontrar a solução de várias dificuldades das quais nada diz, e nas quais talvez nunca tenha pensado. Todavia, sua forma de filosofar é muito cômoda para aqueles que têm apenas mentes muito medíocres; pois a obscuridade das distinções e dos princípios dos quais se servem é a causa de que possam falar de todas as coisas tão ousadamente quanto se as soubessem, e sustentar tudo o que dizem contra os mais sutis e os mais hábeis, sem que se tenha meio de convencê-los, no que me parecem semelhantes a um cego que, para lutar sem desvantagem contra alguém que veja, o fizesse vir ao fundo de alguma cave muito obscura; e posso dizer que esses têm interesse em que eu me abstenha de publicar os princípios da filosofia dos quais me sirvo; pois sendo muito simples e muito evidentes, como o são, eu faria quase o mesmo publicando-os que se eu abrisse algumas janelas, e fizesse entrar o dia nessa cave aonde desceram para lutar. Mas mesmo as melhores mentes não têm oportunidade de desejar conhecê-los, porque se quiserem saber falar de todas as coisas e adquirir a reputação de serem doutas, elas o conseguirão mais facilmente se contentando com a verossimilhança, que pode ser encontrada sem grande dificuldade em toda sorte de matérias, do que buscando a verdade, que só se descobre pouco a pouco em algumas, e que, quando é questão de falar das outras, obriga a confessar francamente que se as ignora. Porquanto preferem o conhecimento de algumas poucas verdades à vaidade de parecerem nada ignorar, como sem dúvida é bem preferível, e querem seguir um desígnio semelhante ao meu, não têm necessidade, para isso, que eu lhes diga nada mais daquilo que já disse nesse discurso; porque se forem capazes de ir mais adiante do que fui, o serão também, com muito mais razão, de encontrar por elas mesmas tudo aquilo que eu penso ter encontrado; porquanto não tendo jamais nada examinado, exceto por ordens, é certo que o que me resta ainda a descobrir é evidentemente mais difícil e mais oculto do que aquilo que pude até agora encontrar, e teriam bem menos prazer em aprender comigo do que por si mesmas; além do que o hábito que adquirem, buscando primeiramente coisas fáceis, e passando pouco a pouco, gradualmente, a outras mais difíceis, lhes servirá mais do que todas as minhas instruções poderiam fazê-lo. Pois, quanto a mim, estou convencido de que, se me tivessem ensinado desde a juventude todas as verdades cujas demonstrações busquei depois, e se não tivesse tido nenhuma dificuldade em aprendê-las, não teria talvez nunca sabido de algumas outras, e pelo menos nunca teria adquirido o hábito e a facilidade que penso ter de encontrar sempre novas à medida que me aplico a buscá-las. E, em uma palavra, se houver no mundo alguma obra que não possa ser tão bem-acabada por algum outro que não o mesmo que a começou, é aquela na qual trabalho.

É verdade que, no que concerne às experiências que podem servir para isso, um homem sozinho não seria suficiente para fazê-las todas; mas tampouco poderia empregar utilmente outras mãos que não as suas, exceto aquelas dos artesãos, ou das pessoas às quais pudesse pagar, e às quais a esperança do ganho, que é um meio muito eficaz, faria exatamente todas as coisas que ele prescrevesse. Pois, para os voluntários que, por curiosidade ou desejo de aprender, talvez se oferecessem para ajudá-lo, além de terem ordinariamente mais promessas do que efeito, e de só fazerem belas proposições das quais nenhuma nunca foi bem-sucedida, quereriam infalivelmente ser pagos pela explicação de algumas dificuldades, ou ao menos por cumprimentos e conversas inúteis, que não lhe poderiam custar tão pouco de seu tempo quanto o que perdeu. E quanto às experiências que os outros já fizeram, ainda que as quisessem comunicar-lhe, o que aqueles que as chamam de segredos nunca fariam, são, na sua maior parte, compostas de tantas circunstâncias ou ingredientes supérfluos, que seria muito difícil lhes decifrar a verdade; além de que as acharia quase todas tão mal-explicadas, ou mesmo tão falsas, porquanto aqueles que as fizeram esforçaram-se por fazê-las parecerem conformes a seus princípios, que se houvesse algumas que lhe servissem, não poderiam de novo valer o tempo que lhe seria necessário empregar a fim de escolhê-las. De forma que, se houvesse no mundo alguém que se soubesse seguramente ser capaz de encontrar as maiores coisas e as mais úteis para o público que pudessem ser, e que, por essa causa, os outros homens se esforçassem, por todos os meios, para ajudá-lo a realizar seus desígnios, não vejo que pudessem outra coisa por ele, senão prover às custas com as experiências das quais precisasse, e, de resto, impedir que seu lazer lhe fosse suprimido pela importunidade de alguém. Mas, além de não presumir tanto de mim mesmo para querer prometer algo de extraordinário, nem me alimentar de pensamentos tão vãos quanto imaginar que o público se deva muito interessar por meus desígnios, não tenho tampouco a alma tão baixa que queira aceitar de quem quer que seja qualquer favor que se possa crer que eu não teria merecido.

Todas essas considerações juntas foram causa, há três anos, de que eu não quisesse divulgar o tratado que tinha em mãos, e mesmo que tomasse a resolução de não publicar nenhum outro durante minha vida que fosse tão geral, nem do qual se pudesse entender os fundamentos de minha física. Mas houve depois novamente duas outras razões que me obrigaram a colocar aqui alguns ensaios particulares, e a prestar ao público alguma conta de minhas ações e de meus desígnios. A primeira é que, se eu não o fizesse, vários, que souberam da intenção que eu tivera até então de fazer imprimir alguns escritos, poderiam imaginar que as causas pelas quais me abstenho de fazê-lo seriam mais para a minha desvantagem do que o são; pois, se bem que eu não ame a glória em excesso, ou mesmo, se ouso dizê-lo, que a odeie, porquanto a julgo contrária ao repouso, o qual estimo sobre todas as coisas, todavia, eis por que nunca tentei esconder minhas ações como crimes, nem usei muitas precauções para permanecer desconhecido, tanto por acreditar que me faria mal quanto porque me daria uma espécie de inquietude, que seria novamente contrária ao perfeito repouso de mente que procuro; e porquanto, me tendo sempre assim indiferente entre o cuidado de ser conhecido ou de não sê-lo, não pude impedir que eu adquirisse alguma sorte de reputação, pensei que devia fazer o meu melhor para me isentar, ao menos, de tê-la má. A outra razão que me obrigou a escrever este livro é que, vendo a cada dia mais e mais o retardamento que sofre o desígnio que tenho de me instruir, por causa de uma infinidade de experiências das quais necessito, e que é impossível que eu o faça sem a ajuda de outrem, se bem que não me lisonjeie tanto a ponto de esperar que o público tome grande parte em meus interesses, todavia não quero tampouco faltar tanto para comigo mesmo que dê motivo para aqueles que me sobreviverão de me acusarem algum dia de ter podido lhes deixar várias coisas muito melhores do que deixei, se não tivesse negligenciado demais fazê-los entender em que poderiam contribuir para os meus desígnios.

E pensei que me era fácil escolher algumas matérias que, sem estarem sujeitas a muitas controvérsias, nem me obrigarem a declarar mais meus princípios do que desejo, não deixariam de mostrar assaz claramente o que posso ou não posso nas ciências. No que eu não saberia dizer se fui bem-sucedido, e não quero prevenir os julgamentos de ninguém, falando eu mesmo dos meus escritos; mas me agradaria muito que os examinassem; e a fim de que haja tanto mais ocasião, suplico a todos aqueles que tenham quaisquer objeções a fazer que se deem o trabalho de enviá-las ao meu livreiro, pelo qual estando advertido, tentarei juntar-lhes minha resposta ao mesmo tempo; e por esse meio os leitores, vendo juntas uma e outra, julgarão tanto mais facilmente a verdade; pois prometo nunca dar respostas longas, mas somente reconhecer minhas faltas muito francamente, se eu as conhecer, ou, se não as puder perceber, dizer simplesmente o que acreditar ser necessário para a defesa das coisas que escrevi, sem acrescentar a explicação de alguma nova matéria, a fim de não me comprometer sem fim de uma a outra.

Se algumas daquelas de que falei no começo da *Dióptrica* e dos *Meteoros* chocarem de início, porque as denomino suposições, e não pareço ter vontade de prová-las, que se tenha a paciência de ler tudo com atenção, e espero que se encontrarão satisfeitos; pois parece-me que as razões se seguem de tal sorte que, como as últimas são demonstradas pelas primeiras, que são suas causas, essas primeiras o são reciprocamente pelas últimas, que são seus efeitos. E não se deve imaginar que eu cometa nisso a falta que os lógicos denominam círculo; pois que a experiência tornando a maioria desses efeitos muito certos, as causas das quais os deduzo não servem tanto para prová-los quanto para explicá-los; mas, pelo contrário, são elas que são provadas por eles.

E não as denominei suposições somente a fim de que se saiba que penso as poder deduzir dessas primeiras verdades que expliquei acima, mas que quis expressamente não fazê-lo para impedir que certas mentes, que imaginam que sabem em um dia tudo o que um outro pensou em vinte anos, tão logo lhes tenha somente dito duas ou três palavras a respeito, e que são tanto mais sujeitos a falhar, e menos capazes da verdade, quanto mais forem penetrantes e vivos, não possam aproveitar a ocasião para construir alguma filosofia extravagante sobre o que acreditam ser meus princípios, e que me atribuam a culpa disso. Pois, quanto às opiniões que são totalmente minhas, não as desculpo como novas, tanto mais que, se se considerarem bem suas razões, estou certo de que se as achará tão simples e tão conformes ao senso comum, que parecerão menos extraordinárias e menos estranhas do que quaisquer outras que se possa ter sobre os mesmos assuntos; e tampouco me vanglorio de ser o primeiro inventor de nenhuma delas, mas antes de nunca as ter aceitado, nem porquanto tenham sido ditas por outrem, nem porquanto não o tenham sido, mas somente porque a razão me persuadiu acerca delas.

Se os artesãos não puderem tão logo executar a invenção que é explicada na *Dióptrica*, não creio que se possa dizer por isso que seja má; pois, porquanto é necessário destreza e hábito para fazer e para ajustar as máquinas que descrevi, sem que nelas falte nenhuma circunstância, não me espantaria menos se conseguissem na primeira tentativa do que se alguém pudesse aprender em um dia a tocar o alaúde excelentemente, só porque lhe tivessem dado uma tablatura que fosse boa. E se escrevo em francês, que é a língua do meu país, em vez de em latim, que é aquela dos meus preceptores, é porque espero que aqueles que só se servem da sua razão natural totalmente pura julgarão melhor minhas opiniões do que aqueles que acreditam apenas nos livros antigos; e quanto àqueles que juntam o bom-senso com o estudo, os únicos que eu desejo como meus juízes, não serão, tenho certeza, tão parciais pelo latim, que recusem ouvir minhas razões porque as explico em língua vulgar.

De resto, não quero falar aqui, em particular, dos progressos que tenho esperança de fazer no futuro nas ciências, nem me comprometer em relação ao público com nenhuma promessa que eu não esteja certo de cumprir; mas direi somente que resolvi não empregar o tempo que me resta viver em outra coisa senão tentar adquirir algum conhecimento da natureza, que seja tal que dele se possa tirar regras para a medicina, mais seguras do que aquelas que tivemos até o presente; e que minha inclinação me afasta tanto de toda sorte de outros desígnios, principalmente daqueles que só poderiam ser úteis a uns prejudicando a outros, que, se algumas circunstâncias me compelissem a dedicar-me a isso, não acredito que fosse capaz de ser bem-sucedido. Do que faço aqui uma declaração que sei bem não poder servir para me tornar considerável no mundo, mas também não tenho de nenhum desejo de sê-lo; e me terei sempre mais obrigado para com aqueles por cujo favor usufruirei sem impedimento do meu lazer do que o seria para com aqueles que me oferecessem os mais honrosos empregos da terra.

Vozes de Bolso

- *Assim falava Zaratustra* – Friedrich Nietzsche
- *O Príncipe* – Nicolau Maquiavel
- *Confissões* – Santo Agostinho
- *Brasil: nunca mais* – Mitra Arquidiocesana de São Paulo
- *A arte da guerra* – Sun Tzu
- *O conceito de angústia* – Søren Aabye Kierkegaard
- *Manifesto do Partido Comunista* – Friedrich Engels e Karl Marx
- *Imitação de Cristo* – Tomás de Kempis
- *O homem à procura de si mesmo* – Rollo May
- *O existencialismo é um humanismo* – Jean-Paul Sartre
- *Além do bem e do mal* – Friedrich Nietzsche
- *O abolicionismo* – Joaquim Nabuco
- *Filoteia* – São Francisco de Sales
- *Jesus Cristo Libertador* – Leonardo Boff
- *A Cidade de Deus – Parte I* – Santo Agostinho
- *A Cidade de Deus – Parte II* – Santo Agostinho
- *O conceito de ironia constantemente referido a Sócrates* – Søren Aabye Kierkegaard
- *Tratado sobre a clemência* – Sêneca
- *O ente e a essência* – Santo Tomás de Aquino
- *Sobre a potencialidade da alma* – De quantitate animae – Santo Agostinho
- *Sobre a vida feliz* – Santo Agostinho
- *Contra os acadêmicos* – Santo Agostinho
- *A Cidade do Sol* – Tommaso Campanella
- *Crepúsculo dos ídolos ou Como se filosofa com o martelo* – Friedrich Nietzsche
- *A essência da filosofia* – Wilhelm Dilthey
- *Elogio da loucura* – Erasmo de Roterdã
- *Utopia* – Thomas Morus
- *Do contrato social* – Jean-Jacques Rousseau
- *Discurso sobre a economia política* – Jean-Jacques Rousseau
- *Vontade de potência* – Friedrich Nietzsche
- *A genealogia da moral* – Friedrich Nietzsche
- *O banquete* – Platão
- *Os pensadores originários* – Anaximandro, Parmênides, Heráclito
- *A arte de ter razão* – Arthur Schopenhauer
- *Discurso sobre o método* – René Descartes
- *Que é isto – A filosofia?* – Martin Heidegger
- *Identidade e diferença* – Martin Heidegger
- *Sobre a mentira* – Santo Agostinho
- *Da arte da guerra* – Nicolau Maquiavel
- *Os direitos do homem* – Thomas Paine
- *Sobre a liberdade* – John Stuart Mill
- *Defensor menor* – Marsílio de Pádua
- *Tratado sobre o regime e o governo da cidade de Florença* – J. Savonarola

- *Primeiros princípios metafísicos da Doutrina do Direito* – Immanuel Kant
- *Carta sobre a tolerância* – John Locke
- *A desobediência civil* – Henry David Thoureau
- *A ideologia alemã* – Karl Marx e Friedrich Engels
- *O conspirador* – Nicolau Maquiavel
- *Discurso de metafísica* – Gottfried Wilhelm Leibniz
- *Segundo tratado sobre o governo civil e outros escritos* – John Locke
- *Miséria da filosofia* – Karl Marx
- *Escritos seletos* – Martinho Lutero
- *Escritos seletos* – João Calvino
- *Que é a literatura?* – Jean-Paul Sartre
- *Dos delitos e das penas* – Cesare Beccaria
- *O anticristo* – Friedrich Nietzsche
- *À paz perpétua* – Immanuel Kant
- *A ética protestante e o espírito do capitalismo* – Max Weber
- *Apologia de Sócrates* – Platão
- *Da república* – Cícero
- *O socialismo humanista* – Che Guevara
- *Da alma* – Aristóteles
- *Heróis e maravilhas* – Jacques Le Goff
- *Breve tratado sobre Deus, o ser humano e sua felicidade* – Baruch de Espinosa
- *Sobre a brevidade da vida & Sobre o ócio* – Sêneca
- *A sujeição das mulheres* – John Stuart Mill
- *Viagem ao Brasil* – Hans Staden
- *Sobre a prudência* – Santo Tomás de Aquino
- *Discurso sobre a origem e os fundamentos da desigualdade entre os homens* – Jean-Jacques Rousseau
- *Cândido, ou o otimismo* – Voltaire
- *Fédon* – Platão
- *Sobre como lidar consigo mesmo* – Arthur Schopenhauer
- *O discurso da servidão ou O contra um* – Étienne de La Boétie
- *Retórica* – Aristóteles
- *Manuscritos econômico-filosóficos* – Karl Marx
- *Sobre a tranquilidade da alma* – Sêneca
- *Uma investigação sobre o entendimento humano* – David Hume
- *Meditações metafísicas* – René Descartes
- *Política* – Aristóteles
- *As paixões da alma* – René Descartes
- *Ecce homo* – Friedrich Nietzsche
- *A arte da prudência* – Baltasar Gracián
- *Como distinguir um bajulador de um amigo* – Plutarco
- *Como tirar proveito dos seus inimigos* – Plutarco
- *Solilóquios / Da imortalidade da alma* – Santo Agostinho
- *Meditações* – Marco Aurélio
- *A doutrina cristã* – Santo Agostinho

Conecte-se conosco:

facebook.com/editoravozes

@editoravozes

@editora_vozes

youtube.com/editoravozes

+55 24 2233-9033

www.vozes.com.br

Conheça nossas lojas:

www.livrariavozes.com.br

Belo Horizonte – Brasília – Campinas – Cuiabá – Curitiba
Fortaleza – Juiz de Fora – Petrópolis – Recife – São Paulo

EDITORA VOZES LTDA.
Rua Frei Luís, 100 – Centro – Cep 25689-900 – Petrópolis, RJ
Tel.: (24) 2233-9000 – E-mail: vendas@vozes.com.br